D1291355

Les gens heureux lisent et boivent du café

Agnès Martin-Lugand

Les gens heureux lisent et boivent du café

roman

7-13, boulevard Paul-Émile-Victor – Île de la Jatte
92521 Neuilly-sur-Seine

www.michel-lafon.com

Illustration de couverture : © Paolo Pizzimenti
http://www.paolopizzimenti.it
Maquette de couverture : Anne Chevalier

À Guillaume et Simon-Aderaw, ma vie.

Nous comptons bien qu'il sera surmonté après un certain laps de temps, et nous considérons qu'il sera inopportun et même nuisible de le perturber.

(Sigmund Freud, à propos
du deuil, « Deuil et Mélancolie »,
in *Métapsychologie*)

– 1 –

– Maman, s'il te plaît ?

– Clara, j'ai dit non.

– Allez, Diane. Laisse-la venir avec moi.

– Colin, ne me prends pas pour une imbécile. Si Clara vient avec toi, vous allez traîner, et on partira en vacances avec trois jours de retard.

– Viens avec nous, tu nous surveilleras !

– Certainement pas. Tu as vu tout ce qu'il reste à faire ?

– Raison de plus pour que Clara vienne avec moi, tu seras peinarde.

– Maman !

– Bon, très bien. Filez ! Oust ! Je ne veux plus vous voir.

Ils étaient partis en chahutant dans l'escalier.

J'avais appris qu'ils faisaient encore les pitres dans la voiture, au moment où le camion les avait percutés. Je m'étais dit qu'ils étaient morts en riant. Je m'étais dit que j'aurais voulu être avec eux.

Et depuis un an, je me répétais tous les jours que j'aurais préféré mourir avec eux. Mais mon cœur battait obstinément. Et me maintenait en vie. Pour mon plus grand malheur.

Vautrée sur mon canapé, je fixais les volutes de fumée de ma cigarette, quand la porte d'entrée s'ouvrit. Félix n'attendait plus mes invitations pour venir chez moi. Il débarquait comme ça, sans prévenir ou presque. Il venait tous les jours. Quelle idée avais-je eue de lui laisser un double des clés ?

Son entrée me fit sursauter, et ma cendre s'échoua sur mon pyjama. D'un souffle, je l'envoyai au sol. Pour ne pas le voir entreprendre son ménage quotidien, je partis dans la cuisine me recharger en caféine.

À mon retour, rien n'avait changé de place. Les cendriers débordaient toujours ; les tasses vides, les boîtes de plats à emporter et les bouteilles jonchaient encore la table basse. Félix était assis, les jambes croisées, et me fixait. Le voir avec cet air sérieux me décontenança une fraction de seconde, mais ce qui me surprit le plus, c'était sa tenue. Pourquoi était-il en costume ? Qu'avait-il fait de son éternel jean troué et de ses tee-shirts moulants ?

– Où vas-tu comme ça ? Un mariage ou un enterrement ?

– Quelle heure est-il ?

– Ce n'est pas la réponse à ma question. Je me fous de l'heure qu'il est. Tu t'es déguisé pour draguer un golden boy ?

– Je préférerais. Il est quatorze heures, et tu dois aller te laver et t'habiller. Tu ne peux pas y aller dans cet état.

– Où veux-tu que j'aille ?

– Dépêche-toi. Tes parents et ceux de Colin vont nous attendre. On doit être là-bas dans une heure.

Mon corps fut parcouru d'un frisson, mes mains se mirent à trembler, la bile me monta à la gorge.

– Hors de question, je n'irai pas au cimetière. Tu m'entends ?

– Pour eux, me dit-il doucement. Viens leur rendre hommage, c'est aujourd'hui que tu dois y aller, ça fait un an, tout le monde va te soutenir.

– Je ne veux du soutien de personne. Je refuse d'aller à cette stupide cérémonie commémorative. Vous pensez que je veux célébrer leur mort ?

Ma voix chancela, et les premières larmes de la journée coulèrent. À travers le brouillard, je vis Félix se lever et s'approcher de moi. Ses bras s'enroulèrent autour de mon corps, et il m'écrasa contre son torse.

– Diane, viens pour eux, s'il te plaît.

Je le repoussai violemment.

– Je t'ai dit non, tu es bouché ? Sors de chez moi ! hurlai-je en le voyant esquisser un pas dans ma direction.

Je partis en courant dans ma chambre. Malgré le tremblement de mes mains, je réussis à m'enfermer à double tour. Je m'écroulai, le dos contre la porte, et repliai mes jambes contre ma poitrine. Le silence qui avait envahi l'appartement fut brisé par le soupir de Félix.

– Je repasse ce soir.

– Je ne veux plus te voir.

– Fais au moins l'effort de te laver, sinon c'est moi qui te fous sous la douche.

Ses pas s'éloignèrent, et le claquement de la porte m'indiqua qu'il était enfin parti.

Je restai prostrée la tête dans les genoux de longues minutes, avant de poser le regard sur mon lit. À quatre pattes, j'avançai péniblement vers lui. Je me hissai dessus et m'enroulai dans la couette. Mon nez, comme à chaque fois que je m'y réfugiais, partit en quête de l'odeur de Colin. Elle avait fini par disparaître, pourtant je n'avais jamais changé les draps. Je voulais le sentir encore. Je voulais oublier l'odeur de l'hôpital, de la mort qui avait imprégné sa peau la dernière fois que j'avais enfoui ma tête dans son cou.

Je voulais dormir, le sommeil me ferait oublier.

Un an auparavant, quand j'étais arrivée aux urgences en compagnie de Félix, on m'avait annoncé que c'était trop tard, que ma fille était morte dans l'ambulance. Les médecins m'avaient juste laissé le temps de vomir avant de m'apprendre que ce n'était plus qu'une question de minutes ou au mieux de quelques heures, pour Colin. Si je voulais lui faire mes adieux, je ne devais pas perdre de temps. J'avais voulu hurler, leur crier qu'ils me mentaient, j'en avais été incapable. J'étais tombée en plein cauchemar, j'avais voulu croire que j'allais me réveiller. Mais une infirmière nous avait guidés vers le box où Colin avait été installé. Chaque mot, chaque geste, à partir du moment où j'étais entrée dans cette pièce, était gravé dans ma mémoire. Colin était là, sur un lit, étendu, relié à un tas de machines, bruyantes, clignotantes. Son corps bougeait à peine, son visage était couvert d'ecchymoses. J'étais restée paralysée plusieurs minutes devant ce spectacle. Félix m'avait suivie, et sa présence m'avait empêchée de m'effondrer. La tête de Colin s'était légèrement tournée dans ma direction, ses yeux avaient accroché les miens. Il avait trouvé la force d'esquisser un sourire. Sourire qui m'avait permis d'avancer vers lui. J'avais pris sa main, il avait serré la mienne.

– Tu devrais être avec Clara, m'avait-il dit avec peine.

– Colin, Clara est…

– Elle est en salle d'opération, m'avait coupée Félix.

J'avais levé la tête vers lui. Il avait souri à Colin en fuyant mon regard. Ça avait bourdonné dans mes oreilles, chaque parcelle de mon corps s'était mise à trembler, ma vue s'était voilée. J'avais senti la main de Colin serrer plus fort la mienne. Je le regardais, tandis qu'il écoutait Félix lui donner des nouvelles de Clara et lui expliquer qu'elle allait s'en sortir. Ce mensonge m'avait ramenée brutalement à la réalité. D'une voix brisée, Colin avait dit qu'il n'avait pas vu le camion, il chantait avec Clara. J'avais perdu l'usage de la parole. Je m'étais penchée vers lui, j'avais passé ma main dans ses cheveux, sur son front. Son visage s'était à nouveau tourné vers moi. Mes larmes rendaient ses traits flous, il avait déjà commencé à disparaître, j'avais suffoqué. Il avait levé la main pour la poser sur ma joue.

– Chut, mon amour, m'avait-il dit. Calme-toi, tu as entendu Félix, Clara va avoir besoin de toi.

Je n'avais rien trouvé pour échapper à son regard rempli d'espoir pour notre fille.

– Mais toi ? avais-je réussi à articuler.

– C'est elle qui compte, m'avait-il dit en essuyant une larme sur ma joue.

Mes sanglots avaient redoublé, j'avais appuyé mon visage sur sa paume encore chaude. Il était encore là. Encore. Je m'agrippais à cet encore.

– Colin, je ne peux pas te perdre, lui avais-je murmuré.

– Tu n'es pas toute seule, tu as Clara, et Félix va bien s'occuper de vous.

J'avais secoué la tête sans oser le regarder.

– Mon amour, tout va bien aller, tu vas être courageuse pour notre fille…

Sa voix s'était brusquement éteinte, j'avais paniqué et relevé la tête. Il semblait tellement fatigué. Il avait puisé ses dernières forces pour moi, comme toujours. Je m'étais collée à lui pour l'embrasser, il y avait répondu avec le peu de vie qui lui restait. Je m'étais ensuite allongée contre lui, je l'avais aidé à poser sa tête sur moi. Tant qu'il était dans mes bras, il ne pouvait pas me quitter. Colin m'avait murmuré une dernière fois qu'il m'aimait, j'avais tout juste eu le temps de lui répondre avant qu'il ne s'endorme paisiblement. J'étais restée plusieurs heures à le tenir contre moi, je l'avais bercé, je l'avais embrassé, je l'avais respiré. Mes parents avaient tenté de me faire partir, j'avais hurlé. Ceux de Colin étaient venus voir leur fils, je ne les avais pas laissés le toucher. Il n'était qu'à moi. La patience de Félix avait fini par me faire céder. Il avait pris son temps pour m'apaiser avant de me rappeler que je devais aussi dire au revoir à Clara. Ma fille avait toujours été le seul être sur cette terre à pouvoir me séparer de Colin. La mort n'avait rien changé. Mes mains s'étaient décrispées et avaient lâché son corps. J'avais posé mes lèvres une dernière fois sur les siennes et j'étais partie.

Le brouillard m'avait enveloppée sur le chemin qui me conduisait vers Clara. J'avais réagi seulement devant la porte.

– Non, avais-je dit à Félix. Je ne peux pas.

– Diane, il faut que tu ailles la voir.

Sans quitter la porte des yeux, j'avais reculé de quelques pas avant de m'enfuir précipitamment dans les couloirs de l'hôpital. J'avais refusé de voir ma fille morte. Je n'avais voulu me souvenir que de son sourire, de ses boucles blondes emmêlées qui virevoltaient autour de son visage, de ses yeux pétillants de malice, le matin même quand elle était partie avec son père.

Aujourd'hui, comme depuis un an, le silence régnait en maître dans notre appartement. Plus de musique, plus de rires, plus de conversations sans fin.

Mes pas me guidèrent automatiquement vers la chambre de Clara. Tout y était rose. Dès l'instant où j'avais su que nous aurions une fille, j'avais décrété que l'intégralité de la décoration serait de cette couleur. Colin avait utilisé un nombre phénoménal de subterfuges pour me faire changer d'avis. Je n'avais pas cédé.

Je n'avais touché à rien ; ni à sa couette roulée en boule, ni à ses jouets éparpillés aux quatre coins, ni à sa chemise de nuit par terre, ni à sa petite valise à roulettes où elle avait mis ses poupées pour les vacances. Deux peluches n'y étaient plus, le doudou avec lequel elle était partie et celui avec lequel je dormais.

Après avoir refermé la porte en silence, je pris la direction du dressing de Colin. J'y attrapai une nouvelle chemise.

Je venais de m'enfermer dans la salle de bains pour prendre une douche, quand j'entendis Félix revenir. Dans la pièce, un grand drap recouvrait le miroir, toutes les étagères étaient vides, à l'exception des bouteilles de parfum de Colin. Plus aucun artifice féminin, plus de maquillage, plus de crèmes, plus de bijoux.

Le froid du carrelage ne me fit pas réagir, je m'en moquais. L'eau coulait sur mon corps sans m'accorder le moindre bien-être. Je remplis ma main du shampoing à la fraise de Clara. L'odeur sucrée me tira quelques larmes mêlées d'un réconfort morbide.

Mon rituel pouvait commencer. J'aspergeai ma peau du parfum de Colin, première couche de protection. Je fermai les boutons de sa chemise, deuxième couche. J'enfilai son sweat à capuche, troisième couche. Je nouai mes cheveux mouillés pour conserver leur odeur de fraise, quatrième couche.

Au salon, mes déchets avaient disparu, les fenêtres étaient ouvertes, et une bataille semblait être livrée dans la cuisine. Avant d'aller rejoindre Félix, je cloîtrai de nouveau le séjour. La pénombre était ma meilleure amie.

Félix avait la tête dans le congélateur. Je m'appuyai au chambranle de la porte pour l'observer. Il avait revêtu son uniforme et remuait les fesses en sifflotant.

– Je peux savoir ce qui te met de si bonne humeur ?

– Ma nuit dernière. Laisse-moi préparer le dîner, et je te raconte tout.

Il s'était tourné vers moi et me fixait. Il s'approcha et respira profondément à plusieurs reprises.

– Arrête de me renifler comme un chien, lui dis-je.

– Il va falloir que tu arrêtes ça.

– De quoi te plains-tu ? Je me suis lavée.

– Ce n'était pas du luxe.

Il déposa un baiser sur ma joue avant de repartir s'affairer.

– Depuis quand sais-tu cuisiner ?

– Je ne cuisine pas, j'utilise un micro-ondes. Encore faudrait-il que je trouve quelque chose d'excitant à becqueter. Ton frigo, c'est pire que le désert de Gobi.

– Si tu as faim, commande une pizza. Tu es incapable de cuisiner quoi que ce soit. Tu raterais même un plat surgelé.

– C'est bien pour ça que vous m'avez nourri, ces dix dernières années, Colin et toi. Tu viens d'avoir une idée de génie, je vais avoir plus de temps à t'accorder.

Je partis m'écrouler dans le canapé. J'allais avoir droit au récit de sa nuit fantastique. Rapidement, un verre de vin rouge apparut devant mes yeux. Félix s'installa en face de moi et m'envoya son paquet de cigarettes. J'en allumai une aussitôt.

– Tes parents t'embrassent.

– Tant mieux pour eux, lui répondis-je en crachant la fumée dans sa direction.

– Ils s'inquiètent pour toi.

– Ils n'ont pas besoin.

– Ils aimeraient passer te voir.

– Je ne veux pas. D'ailleurs, estime-toi heureux, tu es le seul que je tolère encore.

– Je suis irremplaçable, tu ne peux pas te passer de moi.

– Félix !

– Très bien, si tu insistes, je vais te raconter dans les moindres détails ma soirée d'hier.

– Oh non, tout sauf ta vie sexuelle !

– Il faut savoir ce que tu veux. Soit mes cabrioles, soit tes parents.

– O.K., vas-y, je t'écoute.

Félix n'était pas avare en détails graveleux. Pour lui, la vie se résumait à une fête géante, pimentée d'une sexualité débridée et d'une consommation de substances qu'il testait en avant-première. Lancé dans ses histoires, il n'attendait même pas que je lui réponde, il parlait, il parlait sans s'arrêter. Il ne s'interrompit pas quand la sonnette retentit.

Le livreur apprit lui aussi de quelle manière il s'était fait inviter dans le lit d'un étudiant de vingt ans. Encore un dont Félix s'était chargé de l'éducation.

– Si tu avais vu sa tête, à ce pauvre petit chou, ce matin, limite s'il ne m'a pas supplié de revenir m'occuper de lui. Il m'a fait de la peine, ajouta-t-il en feignant d'essuyer une larme.

– Tu es vraiment ignoble.

– Je l'avais prévenu, mais que veux-tu, quand on goûte à Félix, on devient accro.

Alors que je n'avais picoré que deux ou trois bouchées, lui frôlait l'explosion. Il n'avait toujours pas l'air décidé à partir. Il était devenu étrangement silencieux, il ramassa les restes et disparut dans la cuisine.

– Diane, tu ne m'as même pas demandé comment ça s'est passé aujourd'hui.

– Ça ne m'intéresse pas.

– Tu vas trop loin. Comment peux-tu y être indifférente ?

– Tais-toi, je suis tout sauf indifférente. Je ne te permets pas de me dire une chose pareille ! criai-je en me levant d'un bond.

– Merde, regarde-toi, on dirait une loque. Tu ne fais plus rien. Tu ne travailles plus. Ta vie se résume à fumer, boire et dormir. Votre appartement s'est transformé en sanctuaire. Je n'en peux plus de te voir tous les jours t'enfoncer un peu plus.

– Personne ne peut comprendre.

– Bien sûr que si, tout le monde comprend ce que tu endures. Mais ce n'est pas une raison pour t'éteindre. Ça fait un an qu'ils sont partis, il est temps de vivre. Bats-toi, fais-le pour Colin et Clara.

– Je ne sais pas me battre, et de toute façon, je n'en ai pas envie.

– Laisse-moi t'aider.

Incapable d'en supporter davantage, je me bouchai les oreilles et fermai les yeux. Félix me prit dans ses bras et me força à m'asseoir. J'avais encore droit à un de ses câlins étouffants. Je n'avais jamais compris le besoin qu'il avait de m'écraser contre lui.

– Pourquoi tu ne sortirais pas avec moi, ce soir ? demanda-t-il.

– Tu n'as rien compris, lui répondis-je en me serrant contre lui malgré moi.

– Sors de chez toi, rencontre du monde. Tu ne peux plus rester recluse. Viens aux Gens avec moi, demain.

– Je m'en moque, des Gens !

– Dans ce cas, partons en vacances tous les deux. Je peux fermer. Le quartier peut se passer de nous… enfin de moi quelques semaines.

– Je n'ai pas envie de vacances.

– Je suis sûr du contraire. On va bien rire, tous les deux, je vais m'occuper de toi vingt-quatre heures sur vingt-quatre. C'est ce qu'il te faut pour te remettre sur pied.

Il ne vit pas mes yeux sortir de leurs orbites à l'idée de l'avoir sur le dos en permanence.

– Écoute, laisse-moi réfléchir, lui dis-je pour le calmer.

– Promis ?

– Oui, je veux aller dormir maintenant, va-t'en.

Il claqua un baiser sonore sur ma joue avant de sortir son téléphone de sa poche. Il fit défiler son impressionnant carnet d'adresses avant d'appeler un Steven, un Fred ou encore un Alex. Tout excité par la perspective de sa soirée de débauche, il me lâcha enfin. Debout, j'allumai une cigarette avant de prendre la direction de la porte d'entrée. Il abandonna son interlocuteur le temps de m'embrasser une dernière fois et de me glisser à l'oreille : « À demain, mais ne compte pas sur moi trop tôt, ça va envoyer du lourd, ce soir. »

En guise de réponse, je levai les yeux au ciel. Les Gens n'ouvriraient pas encore à l'heure demain matin. Je n'en avais pas grand-chose à faire. C'était dans une autre vie que je tenais un café littéraire.

Félix m'avait épuisée. Dieu sait que je l'aimais, mais je n'en pouvais plus.

Dans mon lit, je ressassais ses paroles. Il semblait déterminé à me faire réagir. Je devais à tout prix trouver une solution pour lui échapper. Quand il avait ce genre d'idée, rien ne pouvait l'arrêter. Il voulait que j'aille mieux, moi pas. Que pouvais-je inventer ?

– 2 –

Bientôt une semaine qu'il avait lancé le projet « Sortons Diane de sa dépression ». Un déluge de suggestions plus farfelues les unes que les autres s'était déjà abattu sur moi. Le point culminant avait été atteint lorsque Félix avait déposé des brochures d'agences de voyages sur la table basse. Je savais pertinemment ce qu'il préparait, des vacances au soleil avec tout ce que cela comportait. Un club de touristes, des transats, des palmiers, des cocktails à base de rhum frelaté, des corps bronzés et luisants, des cours d'aquagym pour reluquer le G.O., le rêve pour Félix et le cauchemar pour moi. Tous ces vacanciers tassés les uns contre les autres sur une minuscule plage, ou en train de se battre en tenue de soirée devant le buffet, horrifiés à l'idée que le voisin ronfleur ne vole la dernière saucisse, ces gens heureux d'avoir été enfermés une dizaine d'heures dans une carlingue avec des gamins braillards autour d'eux, tout ça me donnait envie de vomir.

Voilà pourquoi je tournais en rond, fumais au point d'avoir la gorge en feu. Le sommeil ne me servait plus de refuge, il était envahi par Félix en maillot de bain me forçant à danser la salsa en boîte de nuit. Il ne lâcherait pas l'affaire tant que je ne céderais pas. Je devais réussir à m'échapper, lui couper l'herbe sous le pied, le rassurer tout en me débarrassant de lui. Rester chez moi était exclu. Partir, quitter définitivement Paris, c'était finalement la solution. Trouver un coin perdu où il ne me suivrait pas.

Une excursion dans le monde des vivants devenait inévitable, mes placards et mon frigo étaient désespérément vides. Je n'y trouvai que des paquets de biscuits périmés – les goûters de Clara – et les bières de Colin. J'en pris une, la tournai dans tous les sens avant de me décider à la décapsuler. Je la sentis comme j'aurais respiré les effluves d'un grand cru. J'en bus une gorgée, et les souvenirs affluèrent.

Notre premier baiser avait eu un goût de bière. Combien de fois en avions-nous ri ? Le romantisme ne nous étouffait pas, à vingt ans.

Colin ne buvait que des bières brunes, il n'aimait pas les blondes, il se demandait toujours pour quelle raison il m'avait choisie, ce qui lui valait invariablement une calotte sur la tête.

La bière s'était aussi immiscée une fois dans nos choix de vacances. Colin avait eu envie de partir quelques jours en Irlande. Puis il avait prétendu que la pluie, le vent et le froid l'avaient fait renoncer. En vérité, il connaissait suffisamment mon goût exclusif du soleil et du bronzage pour ne pas me forcer à porter un coupe-vent et une polaire pendant nos vacances d'été ni à m'imposer une destination qui m'aurait déplu.

La bouteille me tomba des mains et éclata sur le carrelage.

Assise au bureau de Colin, un atlas devant les yeux, je parcourais une carte de l'Irlande. Comment choisir sa tombe à ciel ouvert ? Quel endroit pourrait m'apporter la paix et la tranquillité nécessaires pour être en tête à tête avec Colin et Clara ? Ne connaissant strictement rien à ce pays, et me trouvant dans l'incapacité d'y choisir un point de chute, je finis par fermer les yeux et poser mon doigt au hasard.

J'entrouvris une paupière et me rapprochai. J'utilisai mon autre œil après avoir retiré mon doigt pour déchiffrer le nom. Le hasard avait choisi le plus petit village possible, l'écriture était à peine lisible sur la carte. « Mulranny ». Je m'exilais à Mulranny.

C'était le moment, je devais annoncer à Félix que je partais vivre en Irlande. Trois jours, c'était le temps qu'il m'avait fallu pour rassembler le courage nécessaire. Nous venions de finir de dîner, je m'étais forcée à avaler chaque bouchée pour le satisfaire. Avachi dans un fauteuil, il feuilletait une de ses brochures.

– Félix, laisse tomber tes magazines.

– Tu t'es décidée ?

Il se releva d'un bond et se frotta les mains.

– Où partons-nous ?

– Toi, je n'en sais rien, mais moi je vais vivre en Irlande.

Mon ton s'était voulu le plus naturel possible. Félix happait l'air comme un poisson en train de suffoquer.

– Remets-toi.

– Tu te fous de moi ? Tu n'es pas sérieuse ! Qui a pu te donner une idée pareille ?

– Colin, figure-toi.

– Ça y est, elle est dingue. Tu vas aussi m'annoncer qu'il est revenu d'entre les morts pour te dire où partir.

– Tu n'as pas besoin d'être méchant. Il aurait aimé aller là-bas, c'est tout. J'y vais à sa place.

– Oh non, tu ne vas pas y aller, me dit Félix très sûr de lui.

– Et pourquoi ça ?

– Tu n'as rien à faire dans ce pays de… de…

– De quoi ?

– De rugbymen mangeurs de moutons.

– Les rugbymen te gênent ? Première nouvelle. D'habitude ils te font plutôt de l'effet. Et puis tu crois que partir en Thaïlande se défoncer sur une plage pendant la pleine lune et revenir avec « *forever Brandon* » tatoué sur la fesse gauche, c'est mieux ?

– Touché… garce. Mais ce n'est pas comparable. Tu es déjà mal en point, tu vas être irrécupérable.

– Arrête. J'ai décidé que je partais en Irlande quelques mois, tu n'as rien à me dire.

– Ne compte pas sur moi pour t'accompagner.

Je me levai et me mis à ranger tout ce qui me tombait sous la main.

– Tant mieux, parce que tu n'es pas invité. Je n'en peux plus d'avoir un toutou derrière moi. Tu m'étouffes ! criai-je en le regardant.

– Dis-toi bien une chose, je vais très vite recommencer à t'étouffer.

Il pouffa de rire et, sans me quitter des yeux, s'alluma tranquillement une cigarette.

– Tu veux savoir pourquoi ? Parce que je ne te donne pas plus de deux jours. Tu vas revenir toute penaude et tu me supplieras de t'emmener au soleil.

– Jamais de la vie. Crois ce que tu veux, mais je fais ça pour guérir.

– Tu te trompes de méthode, mais au moins tu es remontée comme une pendule.

– Tu n'as pas des copains qui t'attendent ?

Je ne supportais plus son regard inquisiteur. Il se leva et s'approcha de moi.

– Tu veux que j'aille fêter ta nouvelle lubie ?

Son visage se rembrunit. Il posa ses mains sur mes épaules et planta ses yeux dans les miens.

– Tu cherches vraiment à t'en sortir ?

– Évidemment.

– Donc, tu es d'accord pour que tes valises ne contiennent aucune chemise de Colin, aucune peluche de Clara, pas de parfum à part le tien.

Je m'étais fait prendre à mon propre piège. J'avais mal au ventre, à la tête, à la peau. Impossible de fuir ses yeux noirs comme le charbon, ses doigts broyaient mes épaules.

– Bien sûr, je veux aller mieux, je vais me séparer petit à petit de leurs affaires. Tu devrais être content, depuis le temps que tu veux que je le fasse.

Par je ne sais quel miracle, ma voix n'avait pas flanché. Félix soupira profondément.

– Tu es irresponsable, tu n'y arriveras jamais. Colin ne t'aurait jamais laissée entreprendre un tel projet. C'est bien, tu as cherché à faire quelque chose pour t'en sortir, mais renonce, s'il te plaît, on va trouver autre chose. J'ai peur que tu t'enfonces.

– Je n'abandonnerai pas.

– Va dormir, on en reparle demain.

Il fit une moue désolée, embrassa ma joue et prit la direction de la sortie sans un mot de plus.

Au lit, enroulée dans la couette, le doudou de Clara étroitement serré dans mes bras, je tentais de calmer les battements de mon cœur. Félix avait tort, Colin m'aurait laissée partir seule pour l'étranger, à l'unique condition qu'il se soit occupé de l'organisation. Il gérait tout lorsque nous partions en voyage, du billet d'avion à la réservation d'hôtel, en passant par mes papiers d'identité. Jamais il ne m'aurait confié mon passeport ou celui de Clara, il disait que j'étais tête en l'air. Alors aurait-il eu confiance en moi pour mener un tel projet ? Pas sûr, finalement.

Je n'avais jamais habité seule, j'avais quitté la maison de mes parents pour m'installer avec lui. J'avais peur de passer un simple coup de téléphone pour demander un renseignement ou faire une réclamation. Colin, lui, savait tout faire. Il fallait que je l'imagine me guider pour tout préparer. J'allais le rendre fier de moi. Si c'était une des dernières actions que je faisais avant de m'enterrer, je prouverais à tous que j'étais capable d'aller jusqu'au bout.

Certaines choses ne changeaient pas, comme ma technique pour faire mes valises. Ma penderie était vide et mes bagages pleins à craquer. Je n'en utiliserais pas le quart. Ne manquait plus que de la lecture, et je devais me faire violence.

Depuis combien de temps n'avais-je pas pris ce chemin ? Félix allait s'écrouler derrière le comptoir en me voyant arriver. En moins de cinq minutes, je rejoignis la rue Vieille-du-Temple. Ma rue. À une époque, j'y passais mes journées ; aux terrasses, dans les boutiques, dans les galeries et quand je travaillais. Le simple fait d'y être me rendait heureuse, avant.

Aujourd'hui, dissimulée sous la capuche d'un sweat de Colin, je fuyais les devantures, les habitants, les touristes. Je marchais sur la route pour éviter ces foutus poteaux qui obligeaient à slalomer. Tout m'agressait, jusqu'à la délicieuse odeur de pain chaud qui s'échappait de la boulangerie où j'avais mes habitudes.

Mon pas ralentit à l'approche des Gens. Plus d'un an que je n'y avais pas mis les pieds. Je m'arrêtai sur le trottoir d'en face sans y jeter un coup d'œil. Immobile, la tête basse, je plongeai la main dans une de mes poches, il me fallait de la nicotine. On me bouscula, et mon visage se tourna involontairement vers mon café littéraire. Cette petite vitrine en bois, la porte au centre avec sa clochette à l'intérieur, ce nom que j'avais choisi, il y avait cinq ans, *Les gens heureux lisent et boivent du café*, tout me ramenait vers ma vie avec Colin et Clara.

Le matin de l'inauguration avait été marqué par la panique générale. Les travaux n'étaient pas finis, nous n'avions pas encore déballé les livres. Félix n'était pas arrivé, j'étais seule à me battre pour que les ouvriers accélèrent la cadence. Colin m'avait téléphoné tous les quarts d'heure afin de s'assurer que nous serions prêts pour la soirée d'ouverture. À chaque fois, j'avais ravalé mes larmes et ri comme une bécasse. Mon très cher associé, beau comme un camion, avait pointé le bout de son nez en milieu d'après-midi, alors que je frôlais la crise d'hystérie parce que l'enseigne n'était pas encore fixée au-dessus de la façade.

– Félix, où étais-tu ? avais-je hurlé.

– Chez le coiffeur. D'ailleurs, tu aurais dû en faire autant, m'avait-il répondu en saisissant une mèche de mes cheveux avec une mine dégoûtée.

– Quand aurais-tu voulu que j'y aille ? Rien n'est prêt pour ce soir, je mens à Colin depuis ce matin, j'avais bien dit que c'était voué à l'échec, c'est un cadeau empoisonné, cet endroit. Pourquoi mes parents et Colin m'ont-ils écoutée quand je leur ai dit que je voulais tenir un café littéraire ? Je n'en veux plus.

Ma voix était montée dans les aigus, et j'avais recommencé à m'activer dans tous les sens. Félix avait mis tous les ouvriers à la porte et était revenu vers moi. Il m'avait attrapée et secouée comme un prunier.

– Stop ! À partir de maintenant, je gère. Va te préparer.

– Je n'ai pas le temps !

– Il est hors de question qu'on ouvre avec une patronne aux allures de gorgone.

Il m'avait poussée jusqu'à la porte de derrière, qui menait au studio loué avec le café. À l'intérieur, j'avais trouvé une nouvelle robe et tout le nécessaire pour me faire belle. Un énorme bouquet de roses et de freesias trônait à même le sol. J'avais lu le mot de Colin. Il me répétait à quel point il croyait en moi.

Finalement, la soirée d'inauguration avait été très réussie, malgré notre chiffre d'affaires proche de zéro – Félix s'était autoproclamé responsable de la caisse. Les clins d'œil et les sourires de Colin m'avaient encouragée. Avec Clara dans les bras, j'avais circulé de table en table, entre la famille, les amis, les collègues de mon mari, les relations douteuses de Félix et les commerçants de la rue.

Aujourd'hui, cinq ans plus tard, tout avait changé, Colin et Clara n'étaient plus là. Je n'avais aucune envie de retravailler, et tout, dans ce lieu, me rappelait mon mari et ma fille. La fierté de Colin quand il venait fêter une victoire au tribunal, les premiers pas de Clara entre les clients, la première fois qu'elle avait écrit son prénom, assise au comptoir devant une grenadine.

Une ombre se dessina à côté de moi, sur le trottoir. Félix m'attrapa contre lui et me berça dans ses bras.

– Tu sais que tu es là depuis une demi-heure, suis-moi.

Je secouai la tête.

– Tu n'es pas venue pour rien, il est temps que tu retrouves Les Gens.

Il me prit par la main et me fit traverser la rue. Il serra plus fort quand il poussa la porte. La clochette retentit et déclencha une crise de larmes.

– Moi aussi, à chaque fois que je l'entends, je pense à Clara, m'avoua Félix. Passe derrière le comptoir.

J'obtempérai sans résistance. L'odeur du café mêlée à celle des livres me sauta au nez. Malgré moi, j'aspirai à pleins poumons. Ma main glissa sur le bar en bois, il était collant. J'attrapai une tasse, elle était sale, j'en pris une autre, pas très nette non plus.

– Félix, tu es plus pointilleux pour mon appartement que pour Les Gens, c'est vraiment dégueulasse.

– C'est parce que je suis débordé, pas le temps de jouer les fées du logis, me répondit-il en haussant les épaules.

– C'est vrai que ça grouille de monde, la foule des grands jours.

Il retourna s'occuper de son unique client, avec qui il avait l'air plus qu'intime, à en juger par les œillades qu'ils échangeaient. Le type finit son verre et repartit avec un livre sous le bras sans passer par le tiroir-caisse.

– Alors, tu reprends du service ? me demanda Félix après s'être servi un verre.

– Qu'est-ce que tu racontes ?

– Tu es venue ici parce que tu veux retravailler, c'est ça ?

– Non, tu le sais bien. Je veux juste emporter des livres.

– Tu pars vraiment, alors ? Mais il te reste du temps, rien ne presse.

– Tu n'as rien écouté. Je pars dans huit jours et j'ai retourné le contrat de location signé.

– Quel contrat de location ?

– Celui du cottage dans lequel je vais habiter les prochains mois.

– Tu es certaine que ce n'est pas un faux plan ?

– Non, je ne suis sûre de rien, je verrai là-bas.

Nous ne nous quittions pas des yeux.

– Diane, tu ne peux pas me laisser tout seul ici.

– Ça fait plus d'un an que tu bosses sans moi, et je ne suis pas connue pour mon efficacité au travail. Allez, conseille-moi des livres.

Sans aucun entrain, il m'indiqua ses préférences ; j'acquiesçai sans réfléchir, je m'en moquais. J'en connaissais déjà une : *Les Chroniques de San Francisco*. Pour mon meilleur ami, Armistead Maupin avait le pouvoir de régler n'importe quel problème. Je n'en savais rien, je ne l'avais jamais lu. Félix posait les livres les uns après les autres sur le comptoir. Il me fuyait du regard.

– Je te les apporterai chez toi, c'est trop lourd.

– Merci. Je vais te laisser, j'ai encore beaucoup de choses à faire.

Mon regard dévia vers un petit recoin derrière le bar. Je m'en approchai, guidée par la curiosité.

Un cadre contenant des photos de Colin, Clara, Félix et moi. Il avait été fait avec soin. Je me retournai vers Félix.

– Rentre chez toi maintenant, me dit-il doucement.

Il était près de la porte, je m'arrêtai à côté de lui, lui embrassai délicatement la joue et sortis.

– Diane ! Ne m'attends pas ce soir, je ne viendrai pas.

– O.K., à demain.

– Colin !

Mon cœur palpitait, ma peau était moite, je tâtonnais de tous les côtés dans le lit. La froideur et le vide de sa place répondaient à mon appel. Pourtant, Colin était là, il m'embrassait, ses lèvres picoraient la peau de mon cou, elles étaient descendues de l'arrière de mon oreille jusqu'à mon épaule. Son souffle dans ma nuque, ses mots murmurés, nos jambes entrelacées. Je repoussai les draps et posai mes pieds nus sur le parquet. L'appartement était éclairé par les lumières de la ville. Le bruit du bois qui craquait sous mes pas me rappela celui des petits pieds de Clara qui couraient vers l'entrée quand elle entendait les clés de Colin dans la serrure.

Chaque soir, c'était le même rituel. Nous étions blotties l'une contre l'autre dans le canapé. Clara en chemise de nuit et moi impatiente de retrouver mon mari. Je passai dans l'entrée, Colin avait juste le temps de déposer ses dossiers sur la console avant que la petite ne saute dans ses bras.

Dans le noir, je marchai sur leurs pas, dans le salon où ils me rejoignaient. Colin avançait vers moi, je desserrais sa cravate, il m'embrassait, Clara nous séparait, nous dînions, Colin couchait notre fille, après quoi nous restions tous les deux, avec la certitude de savoir Clara bien au chaud dans son lit, son pouce dans la bouche.

Je réalisai que notre appartement n'existait plus, j'avais voulu y rester pour tout conserver intact, j'avais eu tort. Plus de dossiers, plus de bruit de clés dans la serrure, plus de courses sur le parquet. Je ne reviendrais jamais ici.

Trois quarts d'heure de métro pour rester bloquée en bas de l'escalier de sortie. Mes jambes étaient de plus en plus lourdes à chaque marche. L'entrée était toute proche de la station, je ne le savais pas. Au moment de franchir les grilles, je me dis que je ne pouvais pas arriver les mains vides. J'entrai chez le fleuriste le plus proche, cela ne manquait pas dans le coin.

– Je voudrais des fleurs.

– Vous êtes au bon endroit ! me répondit la fleuriste en souriant. C'est pour une occasion particulière ?

– Pour là-bas, dis-je en désignant le cimetière.

– Vous voulez quelque chose de classique ?

– Donnez-moi deux roses, ça fera l'affaire.

Éberluée, elle se dirigea vers les fleurs coupées.

– Les blanches, lui dis-je. Ne les emballez pas, je les prends à la main.

– Mais…

– C'est combien ?

Je laissai un billet, arrachai les roses de ses mains et sortis précipitamment. Ma course folle se stoppa sur les graviers de l'allée principale. Je tournai sur moi-même, scrutai de tous les côtés. Où étaient-ils ? Je ressortis et m'écroulai par terre. Fébrilement, je composai le numéro des Gens.

– Les Gens heureux picolent et s'envoient en l'air, j'écoute.

– Félix, soufflai-je.

– Il y a un problème ?

– Je ne sais pas où ils sont, tu te rends compte ? Je suis incapable d'aller les voir.

– Qui veux-tu aller voir ? Je ne comprends rien. Où es-tu ? Pourquoi tu pleures ?

– Je veux voir Colin et Clara.

– Tu es… tu es au cimetière ?

– Oui.

– J'arrive, ne bouge pas.

Je n'étais allée qu'une seule fois au cimetière, le jour de l'enterrement. J'avais refusé systématiquement de m'y rendre ensuite.

Après m'être enfuie de l'hôpital, le jour de leur mort, je n'y avais pas remis les pieds. Sous le regard horrifié de mes parents et de ceux de Colin, j'avais annoncé que je n'assisterais pas à la mise en bière. Mes beaux-parents étaient partis en claquant la porte.

– Diane, tu deviens complètement folle ! s'était exclamée ma mère.

– Maman, je ne peux pas y assister, c'est trop dur. Si je les vois disparaître dans des boîtes, ça voudra dire que c'est fini.

– Colin et Clara sont morts, m'avait-elle répondu. Il faut que tu l'acceptes.

– Tais-toi ! Et je n'irai pas à l'enterrement, je ne veux pas les voir partir.

J'avais recommencé à pleurer et je leur avais tourné le dos.

– Comment ? avait éructé mon père.

– C'est ton devoir, avait ajouté ma mère. Tu viendras et tu ne feras pas de grande scène.

– Le devoir ? Vous parlez de devoir ? Je me fous du devoir.

Je m'étais tournée vivement vers eux. La rage avait pris le pas sur la douleur.

– Eh bien oui, tu as des responsabilités, et tu vas les assumer, m'avait répondu mon père.

– Vous vous moquez complètement de Colin, de Clara ou de moi. Tout ce qui vous importe, ce sont les apparences. Donner l'image d'une famille effondrée.

– Mais c'est ce que nous sommes, m'avait rétorqué ma mère.

– Non ! La seule famille que j'aie connue, ma seule vraie famille, je viens de la perdre.

J'étais à bout de souffle, ma poitrine se soulevait. Je ne les avais pas quittés des yeux. Leurs visages s'étaient décomposés un bref instant. J'avais cherché un signe de contrition, il n'en avait rien été. Leur façade était inébranlable.

– Tu n'as pas à nous parler sur ce ton, nous sommes tes parents, m'avait répondu mon père.

– Dehors ! avais-je hurlé en pointant la porte du doigt. Foutez le camp de chez moi !

Mon père s'était dirigé vers ma mère, il l'avait attrapée par le bras et entraînée vers la sortie.

– Sois prête à l'heure, nous passerons te prendre, m'avait-elle dit avant de disparaître.

Ils étaient venus, mécaniques et rigoureux comme des horloges suisses. Ils n'avaient rien écouté de ce que je leur avais dit.

Dans l'état d'épuisement où je me trouvais, je n'avais pas eu la force de lutter. Sans la moindre douceur, ma mère m'avait forcée à m'habiller, mon père m'avait poussée dans la voiture. Devant l'église, je les avais bousculés pour me jeter dans les bras de Félix. À partir de cet instant, je ne l'avais plus quitté. Lorsque le convoi mortuaire était arrivé, j'avais caché mon visage contre son torse. Tout le temps de la cérémonie, il m'avait parlé à l'oreille, il m'avait raconté les derniers jours, il avait choisi leurs derniers vêtements ; le liberty de la robe de Clara, le doudou qu'il avait posé près d'elle ; le gris de la cravate de Colin, la montre qu'il lui avait mise, celle que je lui avais offerte pour ses trente ans. C'était avec Félix que j'avais fait le trajet jusqu'au cimetière. J'étais restée en retrait jusqu'au moment où mes parents s'étaient approchés de nous. Ils m'avaient tendu quelques fleurs, et mon père s'était exprimé :

– Félix, aide-la à y aller. Il faut qu'elle le fasse. Ce n'est pas le moment de jouer les capricieuses.

La main de Félix avait broyé la mienne, il avait arraché les fleurs des mains de ma mère.

– Ne le fais pas pour tes parents, fais-le pour toi, pour Colin et Clara.

J'avais lancé les fleurs dans le trou.

– Je me suis dépêché, me dit Félix en me rejoignant. Lâche les roses, tu te fais mal.

Il s'accroupit devant moi, dénoua mes doigts les uns après les autres et retira les roses, qu'il posa par terre. Mes mains étaient en sang, je n'avais pas senti la morsure des épines. Il passa un bras autour de ma taille et m'aida à me mettre debout.

Nous marchâmes dans le cimetière jusqu'à un point d'eau. Sans un mot, il me lava les mains. Il prit un arrosoir et le remplit. Il m'entraîna à ses côtés, il avançait sans hésitation. Il me lâcha et entreprit de nettoyer une tombe, leur tombe, cette tombe que je voyais pour la première fois. Mes yeux parcouraient chaque détail, la couleur du marbre, la calligraphie de leurs noms. Colin avait vécu trente-trois ans et Clara n'avait pas eu le temps de fêter ses six ans. Félix me tendit les deux roses.

– Parle-leur.

Je posai mon ridicule présent sur la tombe et me mis à genoux.

– Hé, mes amours… pardon… je ne sais pas quoi vous dire…

Ma voix se brisa. J'enfouis mon visage dans mes mains. J'avais froid. J'avais chaud. J'avais mal.

– C'est si dur. Colin, pourquoi as-tu pris Clara avec toi ? Tu n'avais pas le droit de partir, tu n'avais pas le droit de la prendre. Je t'en veux tellement de m'avoir laissée toute seule, je suis perdue. J'aurais dû partir avec vous.

Du plat de la main, j'essuyai mes larmes. Je reniflai bruyamment.

– Je n'arrive pas à croire que vous ne reviendrez jamais. Je passe ma vie à vous attendre. Tout est prêt, à la maison, pour vous… On me dit que ce n'est pas normal. Alors, je vais m'en aller. Tu te souviens Colin, tu voulais qu'on aille en Irlande, j'ai dit non, j'étais bête… j'y vais pour quelque temps. Je ne sais pas où vous êtes, tous les deux, mais j'ai besoin de vous, surveillez-moi, protégez-moi. Je vous aime...

Durant quelques instants, je fermai les yeux. Puis je me relevai avec difficulté, mon équilibre était précaire, ma tête tournait, Félix m'aida à me stabiliser sur mes jambes. Nous prîmes la direction de la sortie sans nous retourner et sans un mot. Avant de descendre dans le métro, Félix s'arrêta.

– Tu vois, jusque-là je ne te croyais pas quand tu disais que tu voulais t'en sortir, m'avoua-t-il. Mais ce que tu as fait aujourd'hui me prouve le contraire. Je suis fier de toi.

J'avais attendu la veille de mon départ pour rappeler mes parents. Depuis que je leur avais annoncé ma décision, ils n'avaient eu de cesse d'essayer de me convaincre de rester. Ils m'avaient téléphoné tous les jours, et mon répondeur avait fonctionné à merveille.

– Maman, c'est Diane.

Derrière, c'était le bruit habituel de la télévision, le volume au maximum.

– Comment vas-tu, ma chérie ?

– Je suis prête à partir.

– Encore ta rengaine ! Chéri, c'est ta fille, elle veut toujours partir.

Une chaise crissa sur le carrelage, et mon père prit le combiné.

– Écoute, ma petite fille, tu vas venir passer quelques jours chez nous, ça va te remettre les idées en place.

– Papa, ça ne sert à rien. Je pars demain. Vous n'avez pas encore compris que je ne veux pas revenir vivre avec vous. Je suis une grande fille, à trente-deux ans, on ne vit plus chez ses parents.

– Tu n'as jamais rien su faire toute seule. Tu as besoin de quelqu'un pour te guider, tu es incapable de mener un projet à terme. Les faits parlent d'eux-mêmes, nous t'avons payé ton café et si tu as de quoi vivre aujourd'hui et de te payer cette lubie, c'est bien parce que Colin a été prévoyant. Alors franchement, partir à l'étranger est largement au-dessus de tes possibilités.

– Merci, papa, je ne savais pas que j'étais un boulet pour vous. C'est avec des paroles comme celles-là que je vais m'en sortir.

– Passe-la-moi, tu la braques, dit ma mère derrière lui. Ma chérie, ton père n'est pas diplomate, mais il a raison, tu es inconsciente. Si encore Félix partait avec toi, nous serions rassurés, même si ce n'est pas la personne idéale pour s'occuper de toi. Écoute, on t'a laissée tranquille jusque-là, on pensait qu'avec le temps tu irais mieux. Pourquoi n'es-tu pas allée consulter le psychiatre dont je t'ai parlé ? Ça te ferait du bien.

– Maman, ça suffit. Je ne veux pas de psy, je ne veux pas vivre avec vous et je ne veux pas que Félix m'accompagne. Je veux la paix, vous comprenez, je veux être seule, j'en ai marre d'être surveillée. Si vous voulez me joindre, vous connaissez mon numéro de portable. Ne me souhaitez surtout pas bon voyage.

Les yeux grands ouverts, je fixais le plafond. J'attendais que mon réveil sonne. Je n'avais pas fermé l'œil de la nuit, et le fait d'avoir raccroché au nez de mes parents n'avait rien à voir avec mon insomnie. Dans quelques heures, j'embarquerais à bord d'un avion, direction l'Irlande. Je venais de vivre ma dernière nuit dans notre appartement, dans notre lit.

Une dernière fois, je me blottis à la place de Colin, le visage enfoui dans son oreiller, je frottai mon nez contre le doudou de Clara, mes larmes les mouillèrent. Le bip résonna et, comme un automate, je me levai.

Dans la salle de bains, je dégageai le miroir, je me vis pour la première fois depuis des mois. Perdue dans la chemise de Colin. J'observai mes doigts détacher chaque bouton, je dégageai une épaule, puis l'autre. Le tissu glissa sur mon corps et tomba à mes pieds. Je lavai mes cheveux une dernière fois avec le shampoing de Clara. En sortant de la douche, j'évitai de regarder la chemise au sol. Je m'habillai en Diane, un jean, un débardeur et un pull près du corps. J'eus le sentiment d'étouffer, je me débattis pour retirer le pull et attrapai le sweat à capuche de Colin, je l'enfilai et respirai à nouveau. Je le portais déjà avant sa mort, je m'en accordais encore le droit.

Un coup d'œil à ma montre m'indiqua qu'il ne me restait que peu de temps. Un café dans la main, une cigarette aux lèvres, je choisis quelques photos au hasard et les glissai dans mon sac.

J'attendais dans le canapé l'heure du départ, en remuant nerveusement les doigts ; mon pouce buta sur mon alliance. Je ne manquerais pas de rencontrer du monde en Irlande, ces gens verraient que j'étais mariée, ils me demanderaient où est mon époux, et je serais incapable de leur répondre. Sans me séparer de cette bague, je devais la cacher. Je décrochai la chaîne que je portais à mon cou, la fis glisser dans mon alliance et replaçai le pendentif à l'abri des regards, sous mon sweat.

Deux coups de sonnette brisèrent le silence. La porte s'ouvrit sur Félix. Il entra sans un mot et plongea son regard dans le mien. Son visage portait ses excès de la nuit passée. Ses yeux étaient rouges et gonflés. Il empestait l'alcool et le tabac. Il n'avait pas besoin de parler pour que je sache que sa voix était enrouée. Il commença à sortir mes valises. Nombreuses. Je fis le tour de l'appartement, éteignis toutes les lumières, fermai toutes les pièces. Ma main se crispa sur la poignée de la porte d'entrée au moment de la refermer. Le seul son perceptible fut celui du verrou.

– 3 –

Je me tenais devant ma voiture de location, mes valises aux pieds, les bras ballants, les clés à la main. Des rafales de vent s'engouffraient dans le parking et me faisaient perdre l'équilibre.

Depuis ma descente de l'avion, j'avais l'impression de flotter. J'avais suivi mécaniquement les passagers jusqu'au tapis roulant pour récupérer mes bagages. Puis un peu plus tard, chez le loueur, j'avais réussi à comprendre mon interlocuteur – en dépit de son accent à couper au couteau – et à signer le contrat.

Mais là, devant la voiture, frigorifiée, courbaturée, exténuée, je me demandais dans quel bourbier je m'étais mis en tête de patauger. Je n'avais pas le choix, je voulais être chez moi, et chez moi, c'était désormais à Mulranny.

Je dus m'y reprendre plusieurs fois pour allumer une cigarette. Ce vent cinglant ne baissait jamais, ça commençait déjà à me taper sur le système. Ce fut pire quand je me rendis compte qu'il grillait ma clope à ma place. Du coup, j'en rallumai une avant de charger le coffre. Au passage, je mis le feu à une mèche de cheveux qui s'était rabattue sur mon visage après une bourrasque.

Un autocollant sur le pare-brise me rappela qu'ici la conduite se faisait à gauche. Je mis le contact, passai la première, et la voiture cala. La deuxième et la troisième tentative de démarrage se soldèrent également par un échec. J'étais tombée sur une voiture véreuse. Je me dirigeai vers une guérite où se trouvaient cinq gaillards. Le sourire aux lèvres, ils avaient assisté à la scène.

– Je veux qu'on change ma voiture, elle ne marche pas, leur dis-je, vexée.

– Bonjour, me répondit le plus âgé sans se départir de son sourire. Que vous arrive-t-il ?

– Je n'en sais rien, elle ne veut pas démarrer.

– Allez les gars, on va aider la p'tite dame.

Impressionnée par leur taille, je reculai lorsqu'ils sortirent. « Des rugbymen mangeurs de moutons », avait dit Félix. Il ne s'était pas trompé. Ils m'escortèrent jusqu'à la voiture.

J'effectuai une nouvelle tentative infructueuse de démarrage. La voiture cala encore une fois.

– Vous vous trompez de vitesse, m'annonça l'un des géants, hilare.

– Mais enfin, non… pas du tout, je sais conduire.

– Passez la cinquième, enfin la vôtre, vous verrez.

Il me regardait sans moquerie, à présent. Je suivis son conseil. La voiture avança.

– Tout est à l'envers chez nous. La conduite, le volant, les vitesses.

– Ça va aller, maintenant ? me demanda un autre.

– Oui, merci.

– Où allez-vous comme ça ?

– Mulranny.

– Pas tout près. Faites attention à vous et prenez garde aux ronds-points.

– Merci beaucoup.

– C'était un plaisir. Au revoir, bonne route.

Ils me firent un signe de tête et encore un grand sourire. Depuis quand les types qui s'occupaient des véhicules de location étaient-ils aimables et serviables ?

J'étais à mi-parcours et je commençais vaguement à me détendre. J'avais passé avec succès les épreuves de l'autoroute et du premier rond-point. Sur la route, rien d'autre à signaler que des moutons et des champs vert fluo. À perte de vue. Aucun bouchon, pas de pluie à l'horizon.

La séparation d'avec Félix repassait en boucle dans mon esprit. Nous n'avions pas échangé un mot entre chez moi et l'aéroport. Il avait fumé cigarette sur cigarette sans me jeter un regard. Il n'avait desserré les dents qu'au dernier moment. Nous étions l'un en face de l'autre, à nous regarder, à hésiter.

– Tu fais attention à toi ? m'avait-il demandé.

– Ne t'inquiète pas.

– Tu peux encore renoncer, tu n'es pas obligée de partir.

– Ne rends pas les choses plus compliquées. Il est l'heure, je dois embarquer.

Je n'avais jamais supporté les séparations. Celle-là avait été bien plus difficile que je ne l'aurais pensé. Je m'étais blottie contre lui, il avait mis quelques instants avant de réagir et de me serrer dans ses bras.

– Prends soin de toi, ne fais pas de bêtises, lui avais-je recommandé. Promis ?

– On verra. File.

Il m'avait lâchée, j'avais attrapé mon sac et pris la direction des portiques de sécurité. J'avais esquissé un geste de la main. Puis j'avais tendu mon passeport. J'avais senti le regard de Félix peser sur moi durant toutes les formalités. Aussi ne m'étais-je pas retournée une seule fois.

J'y étais. J'étais à Mulranny. Devant ce cottage dont j'avais à peine regardé les photos sur l'annonce. J'avais dû traverser tout le village et prendre la route chaotique de la plage pour arriver au bout de mon périple.

J'aurais des voisins, une autre maison se tenait à côté de la mienne. Un petit bout de femme arriva vers moi et me salua de la main. Je me forçai à sourire.

– Bonjour, Diane, je suis Abby, ta propriétaire. Tu as fait bonne route ?

– Enchantée de faire votre connaissance.

Elle regarda avec amusement la main que je lui tendais avant de la serrer.

– Tu sais, ici tout le monde se connaît. Et tu ne passes pas un entretien d'embauche. Ne t'avise pas de me lancer du madame à tout bout de champ. Même pour des questions de respect ou de bonne éducation, d'accord ?

Elle m'invita à entrer dans ce qui allait sous peu devenir chez moi. Je découvris un intérieur cosy, chaleureux.

Abby n'arrêtait pas de parler ; je n'écoutais pas la moitié de ce qu'elle disait, je souriais bêtement et bougeais la tête pour lui répondre. J'eus droit au descriptif de toute la batterie de cuisine, des chaînes câblées, des horaires de marées, sans oublier ceux de la messe. C'est là que je la coupai.

– Je ne crois pas en avoir besoin, je suis fâchée avec l'Église.

– Nous avons un sérieux problème, Diane. Tu aurais dû te renseigner avant de venir ici. Nous nous sommes battus pour notre indépendance et notre religion. Tu vis désormais parmi des Irlandais catholiques et fiers de l'être.

Ça commençait bien.

– Abby, je suis désolée, je…

Elle éclata de rire.

– Détends-toi, pour l'amour du ciel ! C'est une blague. Ça fait juste partie de mes habitudes. Rien ne t'oblige à m'accompagner le dimanche matin. En revanche, un petit conseil, n'oublie jamais que nous ne sommes pas anglais.

– Je m'en souviendrai.

Elle reprit avec entrain sa visite guidée. À l'étage, ma salle de bains et ma chambre. J'allais pouvoir m'étaler en diagonale dans mon lit, c'était un double king size. Normal, au pays des géants.

– Abby, la coupai-je, merci, tout est parfait. Je ne vais manquer de rien.

– Pardonne mon enthousiasme, mais je suis tellement heureuse que quelqu'un habite le cottage pendant l'hiver, je t'attendais avec impatience. Je te laisse t'installer.

Je l'accompagnai dehors. Elle enfourcha un vélo et se tourna vers moi.

– Viens prendre un café chez nous, tu rencontreras Jack.

Pour ma première nuit, en signe de bienvenue, les éléments se déchaînaient. Le vent claquait, la pluie frappait les fenêtres, la toiture craquait. Impossible de trouver le sommeil malgré la fatigue et le lit confortable. Je repensais à cette journée.

Vider ma voiture avait été encore plus éprouvant que la remplir, mes valises étaient éparpillées à travers tout le séjour. J'avais été à deux doigts de baisser les bras en me rendant compte que je n'avais rien à manger. Je m'étais précipitée dans la petite cuisine. Les placards et le frigo débordaient. Abby avait certainement dû me le dire, et je ne l'avais pas remerciée. Quelle honte. Quelle incorrection de ma part. J'aurais l'occasion de la croiser un jour ou l'autre pour m'excuser. Comme elle me l'avait dit, Mulranny était vraiment minuscule : une rue principale, une supérette, une station-service et un pub. Je ne risquais ni de me perdre ni de faire chauffer la carte bleue dans les boutiques.

L'accueil de ma propriétaire me rendait perplexe. Elle semblait attendre une relation privilégiée, ce n'était pas du tout prévu au programme. J'allais repousser au maximum son invitation, je n'étais pas là pour tenir compagnie à un couple de personnes âgées, je ne voulais faire connaissance avec personne.

J'avais tenu plus d'une semaine sans sortir du cottage, le plein de courses d'Abby et les cartouches de cigarettes embarquées m'avaient permis de survivre. Il m'avait aussi fallu tout ce temps pour ranger mes affaires. C'était difficile de me sentir chez moi, rien ne me rappelait ma vie d'avant. La nuit n'était pas éclairée par les lampadaires ni animée par les bruits citadins. Lorsque le vent faiblissait, le silence en devenait oppressant. J'aurais rêvé que mes voisins (toujours absents) fassent une grosse fête pour avoir une berceuse. Les odeurs entêtantes des pots-pourris n'avaient rien à voir avec celle du parquet ciré de notre appartement, et l'anonymat des commerces parisiens était définitivement très loin.

Je commençais à regretter de ne pas être sortie plus tôt, peut-être aurais-je évité tous ces regards braqués sur moi à mon entrée dans l'épicerie. Je n'avais pas besoin de tendre l'oreille. L'inconnue, l'étrangère que j'étais, alimentait les conversations. Les clients se retournaient sur mon passage, m'adressaient de petits sourires, un signe de tête. Certains me parlaient. Je répondais en grommelant. Je n'avais pas pour habitude de dire bonjour aux personnes que je croisais dans les magasins. Je déambulais dans les rayons. Il y avait de tout, nourriture, vêtements, et même des souvenirs à touristes. D'ailleurs, je devais être la seule folle à me risquer ici. Une constante, le mouton était partout, sur les tasses en porcelaine, au rayon boucherie pour le ragoût, et évidemment dans les pulls et les écharpes. Ici, on élevait ces petites bêtes pour s'en nourrir et s'en vêtir. Comme au temps de la préhistoire avec les mammouths.

– Diane, je suis contente de te croiser ici, me dit Abby que je n'avais pas vue arriver.

– Bonjour, lui répondis-je après avoir sursauté.

– Je pensais passer chez toi aujourd'hui. Tout va bien ?

– Oui, merci.

– Tu trouves ce que tu veux ?

– Pas vraiment, il n'y a pas tout ce que je cherche.

– Tu veux dire ta baguette et ton fromage ?

– Euh… je…

– Hé, je te charrie. Tu as fini ?

– Je crois, oui.

– Suis-moi, je vais te présenter.

Un sourire éclatant aux lèvres, elle m'attrapa par le bras et me guida vers les uns et les autres. Je n'avais pas parlé à autant de monde depuis des mois. Leur gentillesse était presque dérangeante. Après une demi-heure de mondanités, je réussis enfin à prendre le chemin de la caisse. Je pouvais tenir le siège pendant au moins dix jours. Sauf que j'allais être obligée de sortir de chez moi, je n'avais trouvé aucune excuse pour refuser l'invitation d'Abby, j'avais simplement réussi à négocier quelques jours pour me préparer.

Il faisait bon vivre, chez mes propriétaires. J'étais confortablement installée dans le canapé, devant un grand feu de cheminée, une tasse de thé brûlant à la main.

Jack était un colosse à la barbe blanche. Son calme tempérait l'exaltation permanente de sa femme. Avec un naturel déconcertant, il s'était servi une pinte de Guinness à quatre heures de l'après-midi. *Des rugbymen mangeurs de moutons et buveurs de bière brune*, me dis-je pour compléter la description de Félix. Et la bière brune me fit aussitôt penser à Colin.

Je parvins toutefois à soutenir la conversation. Je l'avais d'emblée orientée sur leur chien, Postman Pat, qui m'avait sauté dessus à mon arrivée et qui depuis ne quittait pas mes pieds. Puis je parlai de la pluie et du beau temps – enfin surtout de la pluie –, et du confort du cottage. Après quoi je commençai à m'épuiser.

– Vous êtes d'ici ? finis-je par leur demander.

– Oui, mais on a vécu à Dublin jusqu'à ma retraite, répondit Jack.

– Et que faisiez-vous ?

– Il était médecin, le coupa Abby. Mais dis-nous plutôt ce que tu fais, toi, c'est bien plus intéressant. Et surtout, je suis curieuse de savoir pourquoi tu es venue t'enterrer ici.

M'enterrer, justement, la réponse tenait dans sa question.

– Je voulais voir du pays.

– Toute seule ? Comment se fait-il qu'une jolie fille comme toi ne soit pas accompagnée ?

– Laisse-la tranquille, la sermonna Jack.

– Ce serait trop long à vous expliquer. Bon, je dois vous laisser.

Je me levai, récupérai ma veste, mon sac à main et pris la direction de la sortie. Abby et Jack me suivirent. Je venais de jeter un froid. Postman Pat me fit trébucher à plusieurs reprises, il courut dehors dès que la porte fut ouverte.

– Ça ne doit pas être de tout repos, un gros bébé pareil ! leur dis-je (et je pensai alors à Clara).

– Oh, Dieu merci, il n'est pas à nous.

– À qui est-il ?

– Edward. Notre neveu. On le lui garde quand il est absent.

– C'est ton voisin, m'informa Abby.

J'étais déçue. J'avais fini par croire que la maison voisine resterait inoccupée, et ça me convenait. Je n'avais pas besoin de voisins. J'estimais mes propriétaires déjà bien trop proches.

Ils m'accompagnèrent jusqu'à ma voiture. Là, le chien se mit à aboyer et à remuer dans tous les sens. Un 4x4 noir maculé de boue venait de se garer devant la maison.

– Tiens, quand on parle du loup, s'exclama Jack.

– Attends deux minutes, on va vous présenter, me dit Abby en me retenant par le bras.

Le neveu en question descendit de voiture. Avec son visage dur et son air dédaigneux, il ne m'inspira aucune sympathie. Jack et Abby allèrent vers lui. Il s'adossa à sa portière en croisant les bras. Plus je le regardais, plus je le trouvais imbuvable. Il ne souriait pas. Il transpirait l'arrogance. Le genre à passer des heures dans la salle de bains à travailler son look d'aventurier négligé. Il se la jouait intouchable.

– Edward, tu tombes bien ! lui dit Abby.

– Ah ? Pourquoi ?

– Il était temps que tu rencontres Diane.

Il tourna enfin la tête dans ma direction. Il baissa ses lunettes de soleil – d'aucune utilité compte tenu de la brume –, et me détailla des pieds à la tête. J'eus l'impression d'être une pièce de boucher sur un étalage. Et au regard qu'il me lança, je ne semblais pas lui ouvrir l'appétit.

– Euh, non, pas spécialement. Qui est-ce ? demanda-t-il froidement.

Je pris sur moi pour rester courtoise et m'approcher de lui.

– Il paraît que tu es mon voisin.

Son visage se ferma davantage. Il se redressa et parla à mes hôtes en ignorant ma présence.

– Je vous avais dit que je ne voulais personne à côté de chez moi. Elle est là pour combien de temps ?

Je toquai à son dos comme à une porte. Son corps se raidit. Il se retourna, je ne me reculai pas et me mis sur la pointe des pieds.

– Tu peux t'adresser directement à moi, tu sais.

Il arqua un sourcil, visiblement contrarié que j'ose lui parler.

– Ne viens pas sonner chez moi, me répondit-il en m'envoyant un regard à me glacer le sang.

Sans plus de manières, il se détourna, siffla son chien et partit au fond du jardin.

– Ne te fais pas de mouron, me dit Jack.

– Il ne voulait pas qu'on loue le cottage, il n'a pas eu son mot à dire. Il est juste de mauvaise humeur, enchaîna Abby.

– Non, juste mal élevé, marmonnai-je. À bientôt.

J'étais coincée, ma voiture était bloquée par celle de mon voisin. J'appuyai sans interruption sur le klaxon. Abby et Jack éclatèrent de rire avant de rentrer chez eux.

Je vis Edward arriver dans mon rétroviseur. Il avançait nonchalamment en tirant sur sa cigarette. Il ouvrit son coffre et y fit grimper le chien. Sa lenteur m'exaspérait, je tapai sur mon volant. D'une pichenette et sans un regard dans ma direction, il envoya son mégot sur mon pare-brise. En démarrant, il fit crisser ses pneus, et une vague d'eau crasseuse s'abattit sur ma voiture. Le temps d'actionner mes essuie-glaces, il avait disparu. Sale type.

Je devais trouver une technique pour éviter de me faire tremper à chaque fois que je sortais prendre l'air. Aujourd'hui, je m'étais encore fait avoir. Première décision, renoncer au parapluie, totalement inutile, puisque j'en avais cassé quatre en quatre jours. Deuxième décision, ne plus me fier aux rayons de soleil, qui disparaissaient aussi vite qu'ils arrivaient. Troisième et dernière décision, me préparer pour sortir lorsqu'il pleuvait, car le temps d'enfiler mes bottes, trois pulls, mon manteau et une écharpe, l'averse pouvait passer, et je réduirais le risque d'être mouillée. J'essaierais lorsque l'envie m'en prendrait.

Ma technique fonctionnait. C'est ce que je me dis en m'asseyant la première fois sur le sable pour contempler la mer. Le hasard m'avait guidée au bon endroit, j'étais comme seule au monde. Je fermai les yeux, bercée par le bruit des vagues qui s'échouaient à quelques mètres de moi. Le vent maltraitait ma peau et faisait couler quelques larmes, mes poumons s'emplissaient d'oxygène iodé.

D'un coup, je fus propulsée en arrière. J'ouvris les yeux pour me retrouver face à face avec Postman Pat qui me léchait le visage. J'eus les plus grandes difficultés à me relever. J'essayais tant bien que mal d'enlever le sable qui couvrait mes vêtements, quand le chien détala au son d'un sifflement.

Je levai la tête. Edward marchait un peu plus loin. Il était forcément passé tout près de moi, mais ne s'était pas arrêté pour me dire bonjour. Ce n'était pas possible qu'il ne m'ait pas reconnue. Quand bien même, son chien venait de sauter sur quelqu'un, la moindre des politesses aurait été de venir s'excuser. Je pris le chemin du retour, bien décidée à en découdre. En bas du sentier qui menait aux cottages, je vis son 4x4 filer vers le village. Il n'allait pas s'en tirer à si bon compte.

Je grimpai dans ma voiture. Je devais trouver ce mufle et lui faire comprendre à qui il s'adressait. Très vite, je repérai son tas de boue garé devant le pub. Je pilai, sautai du véhicule et entrai dans le bar comme une furie. Je scannai la pièce pour repérer ma cible. Tous les regards convergèrent vers moi. Sauf un.

Edward était pourtant bien là, installé au comptoir, seul, penché sur un journal, une pinte de Guinness à la main. Je fonçai droit sur lui.

– Pour qui te prends-tu ?

Aucune réaction.

– Regarde-moi quand je te parle.

Il tourna la page de son journal.

– Tes parents ne t'ont pas appris la politesse ? Personne ne m'a jamais traitée de cette façon, tu as intérêt à t'excuser tout de suite.

Je me sentais devenir de plus en plus rouge sous l'effet de la colère. Il ne daignait toujours pas lever le nez de sa feuille de chou.

– Ça commence à bien faire ! hurlai-je en la lui arrachant des mains.

Il but une gorgée de bière, reposa sa pinte, soupira profondément. Son poing se crispa au point de faire ressortir une veine. Il se leva et planta son regard dans le mien. Je me dis que j'étais peut-être allée trop loin. Il attrapa un paquet de cigarettes qui traînait sur le bar et prit la direction du coin fumeurs. Au passage, il serra quelques mains, sans jamais y joindre la moindre parole ni le plus petit sourire.

La porte de la terrasse claqua. J'avais retenu mon souffle depuis qu'il s'était levé. Le silence avait envahi le pub, toute la population masculine s'était donné rendez-vous et avait assisté à la scène. Je m'affaissai sur le tabouret le plus proche. Quelqu'un devrait un jour ou l'autre lui donner une bonne leçon. Le barman haussa les épaules en me jetant un coup d'œil.

– Un expresso, s'il vous plaît, lui commandai-je.

– Y a pas de ça ici.

– Vous n'avez pas de café ?

– Si.

Il fallait que je travaille mon accent.

– Bah alors, j'en prendrais bien un, s'il vous plaît.

Il sourit et partit dans un coin derrière le bar. Il posa devant moi un mug rempli d'un café filtre… et clair. C'était raté pour mon petit noir au comptoir. Je ne comprenais pas pourquoi le barman restait planté devant moi.

– Vous allez me regarder boire ?

– Je veux juste être payé.

– Ne vous inquiétez pas, je comptais vous régler en partant.

– Ici, on paye avant de boire. Service à l'anglaise.

– O.K., O.K.

Je lui tendis un billet, il me rendit la monnaie aimablement. Quitte à me brûler, j'avalai à toute vitesse mon café et partis. Quel pays étrange, où les gens étaient tous gentils et accueillants, exception faite de ce rustre d'Edward, mais où l'on vous forçait à payer direct vos consommations. À Paris, ce charmant barman se serait fait remettre en place sans comprendre comment. Sauf qu'en France, ce même barman n'aurait pas été aimable, il n'aurait pas dégoisé un mot, quant à se fendre d'un sourire, même pas en rêve.

J'avais retrouvé mes repères. Je ne m'habillais plus, je mangeais n'importe quoi, n'importe quand. Je dormais une partie de la journée. Si le sommeil ne venait pas, je restais dans mon lit à observer le ciel et les nuages, bien au chaud sous la couette. Je comatais devant des niaiseries à la télévision, qui se transformaient en cinéma muet lorsque c'était en gaélique. Je parlais à Colin et à Clara en fixant leurs photos. Je vivais comme chez nous, à Paris, mais sans Félix. Cependant, le soulagement tant espéré ne venait pas. Aucun poids en moins sur la poitrine, aucun sentiment de libération. Je n'avais envie de rien, je n'arrivais même plus à pleurer. Le temps passait, et les journées me semblaient de plus en plus longues.

Ce matin-là, au lieu de rester dans mon lit, je décidai d'investir le gros fauteuil face à la plage. Après des jours passés à contempler le ciel, j'allais me divertir en regardant la mer. Je fis mes réserves de café et de cigarettes, m'enroulai dans un plaid et calai un coussin derrière ma tête.

Mon attention fut dissipée par des aboiements. Edward et son chien sortaient. C'était la première fois que j'apercevais mon voisin depuis l'épisode du pub. Il avait un gros sac sur l'épaule. Pour mieux voir ce qu'il fabriquait, je rapprochai mon fauteuil de la fenêtre. Il fila vers la plage. Ses cheveux bruns étaient encore plus en bataille que la fois précédente.

Il disparut de mon champ de vision en passant derrière un rocher. Il réapparut une demi-heure plus tard, posa son sac et fouilla dedans. Il m'aurait fallu des jumelles pour savoir ce qu'il trafiquait. Il s'accroupit, je ne voyais que son dos. Il resta dans cette position un long moment.

Mon ventre gronda, ce qui me rappela que je n'avais rien mangé depuis la veille. Je partis dans la cuisine me préparer un sandwich. Lorsque je revins au salon, Edward avait disparu. Ma seule occupation de la journée venait de s'achever. Je m'écroulai dans le fauteuil et avalai mon encas sans appétit.

Les heures passèrent, je ne bougeais pas. Mes sens s'éveillèrent en voyant les lumières de chez Edward s'éteindre. Il sortit en courant pour repartir exactement au même endroit que dans la matinée. Je passai mon plaid sur les épaules et sortis à mon tour sur la terrasse pour mieux l'observer. Je distinguais un objet dans ses mains. Il le porta à hauteur de son visage, je crus reconnaître un appareil photo.

Edward resta là-bas une bonne heure. La nuit était tombée quand il remonta de la plage. J'eus tout juste le temps de me baisser pour qu'il ne me voie pas. J'attendis quelques minutes avant de rentrer chez moi.

Mon voisin était photographe. Voilà huit jours que mes journées se calaient sur les siennes. Il sortait à différents moments, toujours un appareil photo en main. Il arpentait toute la baie de Mulranny. Il pouvait rester immobile des heures durant, il ne réagissait ni à la pluie ni au vent qui parfois s'abattaient sur lui.

Grâce à mes investigations, j'avais appris un tas de choses. Il était encore plus intoxiqué que moi, il avait en permanence une cigarette aux lèvres. Son apparence, le jour de notre rencontre, n'avait rien d'exceptionnel, il était toujours débraillé. Il ne parlait jamais à personne, il ne recevait aucune visite. Jamais je ne l'avais vu tourner la tête dans ma direction. Conclusion, ce type n'était qu'un égocentrique. Il ne se préoccupait de rien ni de personne, en dehors de ses photos – toujours la même vague, toujours le même sable. Il était très prévisible, je n'avais pas besoin de le chercher trop longtemps. Suivant l'heure, il variait d'un rocher à l'autre.

Un matin, je n'avais pas regardé par la fenêtre pour vérifier qu'il était là. Mais plus le temps passait, plus je trouvais étrange de ne même pas entendre les aboiements de son chien qui le suivait partout. À ma grande surprise, je vis que sa voiture était partie. D'un coup, je pensai à Félix, je ne l'avais pas appelé depuis mon départ il y avait un mois et demi, c'était l'occasion. Je saisis mon portable et sélectionnai son numéro dans le répertoire.

– Félix, c'est Diane, m'annonçai-je lorsqu'il décrocha.

– Connais pas.

Il me raccrocha au nez. Je le rappelai.

– Félix, ne raccroche pas.

– Tu te souviens enfin de moi ?

– Je suis nulle, je sais. Pardon.

– Tu rentres quand ?

– Je ne rentre pas, je reste en Irlande.

– Tu t'éclates dans ta nouvelle vie ?

Je lui racontai que mes propriétaires étaient charmants, que j'avais dîné plusieurs fois chez eux, que tous les habitants m'avaient accueillie à bras ouverts, que j'allais régulièrement prendre des verres au pub. Le bruit d'un moteur m'arrêta dans mon élan.

– Diane, tu es là ?

– Oui, oui, deux minutes s'il te plaît.

– Tu as de la visite ?

– Non, c'est mon voisin qui rentre chez lui.

– Tu as un voisin ?

– Oui, et je m'en passerais bien.

Je me mis à lui parler d'Edward.

– Diane, tu veux bien reprendre ta respiration ?

– Excuse-moi, mais ce type me met tellement les nerfs en pelote. Et toi, quoi de neuf ?

– C'est assez tranquille, en ce moment, je n'ouvre Les Gens qu'à l'heure de l'apéro, et c'est pas mal, l'argent rentre un peu. J'ai organisé une soirée sur les plus grands débauchés de la littérature.

– Tu exagères.

– Je peux te garantir que si quelqu'un écrit un livre sur moi, je remporte le prix. Depuis que tu es partie, j'ai plus de temps et je traverse une période de faste, mes soirées sont hallucinantes et mes nuits torrides. Tes petites oreilles chastes n'en supporteraient pas le récit.

En raccrochant, trois constats s'imposèrent à moi. Félix ne changerait jamais, il me manquait, et mon voisin ne méritait pas mon attention. Je tirai les rideaux d'un coup sec.

Je m'étais secouée et j'avais tenté de renouer avec la lecture. Mais cet après-midi, le réconfort n'était pas au rendez-vous. Je ne savais pas si c'était dû à l'ambiance glauque du polar d'Arnaldur Indridason dans lequel j'étais plongée ou au courant d'air froid qui arrivait dans mon dos. Mes mains étaient gelées. Le cottage était encore plus silencieux que d'habitude. Je me levai, frottai mes bras et m'arrêtai un instant devant la baie vitrée, le temps était mauvais. De gros nuages obstruaient le ciel, la nuit allait tomber plus vite, ce soir. Je regrettais de ne pas savoir faire un feu de cheminée. En posant ma main sur un radiateur, je fus surprise par sa température. J'allais crever de froid si le chauffage était en panne. Je voulus allumer la lumière. La première lampe resta désespérément éteinte. J'appuyai sur un autre interrupteur sans plus de résultat. J'appuyais sur tous les interrupteurs. Plus de courant. Noir total. Et moi dedans. Toute seule.

Bien qu'il m'en coûtât, je courus tambouriner à la porte d'Edward. Je finis par avoir mal à la main à force de taper sur le bois. Je me décalai pour essayer de voir à travers une fenêtre. Si je restais seule une minute de plus, j'allais devenir folle. J'entendis de drôles de bruits derrière moi et je pris peur.

– Je peux savoir ce que tu fais ? questionna-t-on dans mon dos.

Je me retournai d'un bond. Edward me surplombait de toute sa hauteur. Je me décalai sur le côté pour lui échapper. Ma peur devint totalement irrationnelle.

– J'ai fait une erreur... je... je...

– Tu quoi ?

– Je n'aurais pas dû venir. Je ne te dérangerai plus.

Sans le quitter des yeux, je continuai à reculer dans le chemin. Mon talon buta sur une pierre, je me retrouvai les quatre fers en l'air, les fesses dans la boue. Edward s'approcha de moi. Il semblait furibard, mais me tendit la main.

– Ne me touche pas.

Il s'immobilisa, arqua un sourcil.

– Il fallait que je tombe sur une Française cinglée.

Je me mis à quatre pattes pour me relever. J'entendis le rire mauvais d'Edward. Je partis en courant chez moi et me barricadai à double tour. Puis je me réfugiai dans mon lit.

En dépit des couvertures et des pulls, je grelottais. Je serrais mon alliance dans ma main. Il faisait nuit noire. J'avais peur. Les sanglots rendaient ma respiration laborieuse. J'étais totalement recroquevillée sur moi-même. Mon dos était douloureux à force de me contracter pour combattre les frissons. Je mordais mon oreiller pour éviter de hurler.

Je dormis par à-coups. L'électricité ne revint pas miraculeusement dans la nuit. Je me tournai vers la seule personne qui pouvait m'aider, fût-ce au téléphone.

– Merde, y a des gens qui dorment, vociféra Félix, lorsque je l'appelai pour la deuxième fois en un jour.

– Excuse-moi, lui dis-je en me remettant à pleurer.

– Qu'est-ce qui t'arrive ?

– J'ai froid, je suis dans le noir.

– Hein ?

– Je n'ai plus d'électricité depuis hier après-midi.

– Tu n'as trouvé personne pour t'aider ?

– Je suis allée chez le voisin, mais je n'ai pas osé le déranger.

– Pourquoi ?

– Je me demande si ce n'est pas un *serial killer*.

– Tu as fumé de la laine de mouton ?

– Je n'ai pas d'électricité, aide-moi.

– Tu as vérifié que les plombs n'ont pas sauté ?

– Non.

– Va voir.

J'obéis à Félix. Le portable toujours collé à l'oreille, j'allai enfoncer le bouton du disjoncteur. Toutes les lumières s'allumèrent, tous les appareils se mirent en marche.

– Alors ? demanda Félix.

– C'est bon, merci.

– Tu es sûre que tu vas bien ?

– Oui, va finir ta nuit, je suis vraiment désolée.

Je raccrochai sans plus attendre. Je m'écroulai par terre. J'étais décidément incapable de régler le moindre problème sans l'aide de quelqu'un, mes parents avaient raison. J'avais envie de me donner des claques.

– 4 –

Écouter de la musique à m'en faire exploser les tympans, j'avais oublié les sensations que ça me procurait. J'avais longuement hésité avant de mettre en marche la chaîne hi-fi. Il fut pourtant une époque où c'était un réflexe. Je l'avais observée, j'avais tourné autour.

L'incident du compteur électrique avait bouleversé l'ordre des choses. Je m'étais fait violence, je sortais plus souvent de chez moi, j'allais marcher une petite heure sur la plage, j'essayais de ne pas traîner en pyjama à longueur de journée. Je faisais tout pour réintégrer le monde des vivants et ne plus sombrer dans des délires paranoïaques. Un matin, je m'étais surprise à me sentir moins broyée au réveil, j'avais eu envie de musique et j'en avais écouté. Bien sûr j'avais pleuré, l'euphorie n'avait pas duré.

Le lendemain, j'avais recommencé. Alors je n'avais pu m'empêcher de me dandiner en rythme. Je renouais avec mes anciennes habitudes. Je dansais comme une furie toute seule dans mon salon. Seule différence à Mulranny, pas besoin de casque sur les oreilles, je m'en donnais à cœur joie, les basses grondaient.

« The dog days are over, the dog days are done. Can you hear the horses ? 'Cause here they come. » Je partageais la scène avec Florence and the Machine. Je connaissais cette chanson sur le bout des doigts, aucun accord ne m'avait jamais échappé. Je me tortillais, une fine pellicule de sueur recouvrait ma peau, ma queue-de-cheval partait dans tous les sens, et mes joues étaient forcément rouges. D'un coup, une percussion ne colla pas au rythme. Je baissai le volume et j'entendis toujours le même fracas. La télécommande en main, je m'approchai de la porte d'entrée, elle trembla. Je comptai jusqu'à trois avant de l'ouvrir.

– Bonjour Edward, que puis-je faire pour toi ? lui demandai-je avec mon plus beau sourire.

– Baisser ta musique de merde !

– Tu n'apprécies pas le rock anglais ? Tes compatriotes...

Il donna un coup de poing dans le mur.

– Je ne suis pas anglais.

– C'est clair, tu n'as pas leur flegme légendaire.

Je continuais à lui sourire de toutes mes dents. Il serra, desserra les poings, ferma les yeux, respira profondément.

– Tu me cherches, dit-il de sa voix rauque.

– Vraiment pas, non. Tu es à peu près le contraire de ce que je cherche.

– Méfie-toi.

– Ouh, j'ai peur.

Il pointa un doigt dans ma direction, mâchoire serrée.

– Je ne te demande qu'une chose, baisse le volume. Tu fais vibrer ma chambre noire, et ça me dérange.

J'éclatai de rire.

– Tu es vraiment photographe ?

– Qu'est-ce que ça peut te faire ?

– Oh, rien. Mais qu'est-ce que tu dois être mauvais !

Si j'avais été un homme, il m'en aurait collé une. Je poursuivis :

– La photo est un art, ce qui requiert un minimum de sensibilité. Or tu en es totalement dépourvu. Conclusion, tu n'es pas fait pour ce métier. Bon, écoute, j'ai pris beaucoup de plaisir à discuter avec toi… Non, je plaisante, alors excuse-moi, j'ai mieux à faire.

Je le défiai du regard, tendis la télécommande en direction de la chaîne et poussai le volume au maximum. « *Happiness hit her like a bullet in the head. Struck from a great height by someone who should know better than that. The dog days are over, the dog days are done* », braillai-je. Je gigotai sous ses yeux avant de lui claquer la porte au nez.

J'exultais en dansant et en chantant à tue-tête. Qu'est-ce que c'était bon de lui avoir cloué le bec ! J'avais bien envie de continuer à m'amuser et de finir le travail commencé, j'allais lui pourrir sa journée. C'était forcément le genre de mec à aller boire un verre pour se calmer.

Contrairement à la première fois, j'entrai dans le pub d'une manière civilisée. Je saluai les clients d'un geste de la main agrémenté d'un sourire. Je commandai un verre de vin rouge et payai ma consommation rubis sur l'ongle, avant de m'asseoir à une distance respectable de mon voisin.

Il était encore plus renfrogné que d'habitude, j'avais vraiment dû lui taper sur les nerfs. Il jouait avec son briquet, mâchoire crispée, il vida d'un trait sa bière avant d'en commander une autre d'un simple signe de tête. Il planta son regard dans le mien. Je levai mon verre dans sa direction et bus une gorgée. Je pris sur moi pour ne pas recracher. Ce vin, s'il méritait vraiment cette appellation, était imbuvable. À côté, une piquette en bouteille de plastique aurait été conseillée par un sommelier. Qu'avais-je cru ? Trouver un millésime au fin fond de ce bled irlandais, où l'on ne buvait que de la Guinness et du whisky ? Pour autant, ça ne m'empêcha pas de continuer à défier Edward du regard.

Ce petit manège dura une bonne demi-heure. Je finis par l'emporter quand il se leva et prit le chemin de la sortie. Je venais de gagner une bataille, j'avais fait quelque chose de ma journée.

J'attendis quelques minutes avant de partir à mon tour. La nuit était tombée, je relevai le col de mon manteau. Nous étions fin octobre, et les prémices de l'hiver se faisaient de plus en plus sentir.

– C'est bien ce que je pensais, dit une voix rauque.

Edward m'attendait à ma voiture. Il était d'un calme inquiétant.

– Je te croyais rentré chez toi. Tu n'as pas de photos à développer ?

– Tu m'as fait gâcher une pellicule entière aujourd'hui, alors ne me parle pas de mon travail. Tu ne dois même pas savoir ce que c'est, le travail.

Sans me laisser le temps de répondre, il enchaîna :

– Je n'ai pas besoin de te connaître pour savoir que tu ne fais rien de tes journées. Tu n'as pas une famille ou des amis qui t'attendent ailleurs ?

La peur me fit bafouiller, il avait repris le contrôle.

– Non, évidemment ! Qui voudrait de toi ? Tu es sans intérêt. Tu as bien dû avoir un mec, mais il est mort d'ennui…

Ma main décolla toute seule. Je frappai tellement fort que sa tête partit sur le côté. Il se frotta la joue et fit un sourire en coin.

– J'aurais touché un point sensible ?

Ma respiration s'accélérait, les larmes montaient.

– J'ai compris, il ne voulait plus de toi. Il a eu bien raison de te larguer.

– Laisse-moi passer, lui demandai-je alors qu'il me barrait l'accès à ma voiture.

Il me retint par le bras et me regarda droit dans les yeux.

– Ne t'avise plus jamais de faire ça, et prends ton billet de retour.

Il me lâcha brutalement et disparut dans la nuit. Du revers de la main, j'essuyai mes larmes. Je tremblais tellement que mes clés tombèrent. Je me battais avec la poignée quand la voiture d'Edward partit en trombe. Sans être un meurtrier, cet homme restait dangereux.

J'étais assise par terre au milieu du séjour. Une faible lumière éclairait la pièce. La première bouteille de vin n'était pas loin d'être finie. Avant d'écraser ma cigarette, j'utilisai le mégot pour allumer la suivante. Je finis par attraper mon téléphone.

– Félix, c'est moi.

– Quoi de neuf au pays des moutons ?

– Je n'en peux plus, je suis à bout.

– Qu'est-ce que tu dis ?

– Je te promets, j'ai essayé, je me suis forcée, mais je n'y arrive pas.

– Ça va passer, me dit-il doucement.

– Non ! Ça ne passera jamais, y a plus rien, plus rien du tout.

– C'est normal que tu n'ailles pas bien, ces jours-ci. L'anniversaire de Clara remue trop de souvenirs.

– Tu iras la voir, demain ?

– Oui, je m'occupe d'elle… Rentre à la maison.

– Bonne nuit.

Je titubai jusqu'à la cuisine. J'abandonnai le vin. Je noyai le jus d'orange dans le rhum, mon verre dans une main, la bouteille dans l'autre, et repartis m'écrouler. Jusqu'au petit matin, je bus, fumai et pleurai.

Le jour était levé quand mon estomac commença à se tordre. Je me précipitai au-dessus des toilettes sans me soucier de ce que je renversais au passage. Mon corps était agité de spasmes plus violents les uns que les autres. Après avoir vomi pendant ce qui me sembla des heures, je me traînai dans la douche sans prendre la peine de me déshabiller. Je restai assise sous le jet, les genoux repliés, et me berçai d'avant en arrière en poussant des plaintes. L'eau chaude devint tiède, puis froide, et pour finir glacée.

Mes vêtements trempés restèrent sur le carrelage de la salle de bains. Le linge propre et sec ne me fit aucun bien, pas même le sweat de Colin. J'étouffai. Je mis la capuche sur ma tête et sortis.

Mes jambes réussirent à me porter jusqu'à la plage. Allongée sur la grève, je fixais la mer déchaînée ; la pluie martelait mon visage, le vent et le sable le cinglaient. Je voulais m'endormir, pour toujours, peu importe où j'étais. Ma place était auprès de Colin et Clara. J'avais trouvé un bel endroit pour les rejoindre. J'étais perdue entre le rêve et la réalité. La conscience m'abandonnait petit à petit, mes membres s'engourdissaient, je m'enfonçais doucement. Il faisait de plus en plus sombre. La tempête m'aidait à partir.

Un chien aboya tout près de moi, je sentis qu'il me reniflait, qu'il me donnait des petits coups de truffe pour me faire réagir. Lorsqu'un sifflement retentit, il s'éloigna. J'allais pouvoir finir mon voyage.

– Qu'est-ce que tu fais là ?

Je reconnus la voix rauque d'Edward et la peur m'envahit. Je me recroquevillai sur moi-même, fermai les yeux de toutes mes forces et mis un bras sur ma tête pour me protéger.

– Fous-moi la paix ! lui lançai-je.

Je sentis ses mains se poser sur moi, ce fut l'électrochoc. Je me débattis à coups de pieds et de poings.

– Lâche-moi !

Je réussis à me dégager. Je tentai de me mettre debout, mais je fus trahie par ma faiblesse. J'allais tomber quand le sol se déroba. J'étais coincée dans les bras d'Edward.

– Tais-toi et laisse-toi faire.

Je ne pouvais pas lutter. Par réflexe, je m'accrochai à son cou. Son corps me protégea aussitôt des assauts du vent. La pluie cessa, nous étions à l'abri. Sans me poser, il monta un escalier. D'un coup d'épaule, il ouvrit une porte, puis il avança dans la pièce et me déposa sur un lit. Je restai la tête basse et courbai le dos. Sans le regarder directement, je le vis balancer son caban dans un coin de la chambre. Il disparut quelques instants avant de revenir, une serviette autour du cou et une autre à la main. Il s'accroupit devant moi et commença à essuyer mon front et mes joues. Ses mains étaient grandes. Il retira complètement ma capuche et détacha mes cheveux.

– Enlève ton pull.

– Non, lui répondis-je la voix enrouée et en secouant la tête.

– Tu n'as pas le choix, si tu ne te déshabilles pas, tu vas tomber malade.

– Je ne peux pas.

Je frissonnais de plus en plus. Il se pencha, retira mes bottes et mes chaussettes.

– Mets-toi debout.

Je pris appui sur le lit pour me lever. Edward m'enleva le sweat de Colin. Je perdis l'équilibre, il me rattrapa par la taille et me garda contre lui quelques instants avant de me lâcher. Il déboutonna mon jean et le baissa. Il me soutint pour que je réussisse à m'en extirper. Ses mains effleurèrent mon dos quand il me débarrassa de mon tee-shirt. Un sursaut de pudeur me fit enrouler les bras autour de ma poitrine. Il alla fouiller dans un placard et revint avec une chemise qu'il m'aida à enfiler. Les souvenirs jaillirent en même temps que les larmes. Edward ferma chaque bouton et glissa mon alliance sous le tissu.

– Couche-toi.

Je m'allongeai, et il remonta l'édredon sur moi. Il repoussa les cheveux de mon front. Je sentis qu'il s'éloignait. Ma respiration se saccada, les pleurs redoublèrent. J'ouvris les yeux et, pour la première fois, je le regardai. Il se passa une main sur le visage et partit. Je ressortis mon alliance de la chemise pour la serrer dans ma main. Je me mis en position fœtale et enfonçai ma tête dans l'oreiller. Puis je finis par sombrer dans le sommeil.

Je n'avais pas envie de me réveiller, et pourtant mes sens se mettaient en éveil. Mes yeux papillonnèrent. Les murs de ma chambre n'étaient pas gris, ils étaient blancs. Je lançai mon bras sur la table de nuit pour allumer la lampe de chevet, je rencontrai le vide. D'un bond, je m'assis dans le lit, une migraine épouvantable se déclencha. Je massai mes tempes du bout des doigts, et la journée de la veille repassa en accéléré. Mais gros trou noir en ce qui concernait la nuit.

Mes premiers pas furent hésitants. Je collai une oreille sur la porte avant de l'ouvrir. Le couloir était silencieux. Je pourrais peut-être déguerpir sans qu'Edward ne s'en aperçoive. Sur la pointe des pieds, j'avançai vers l'escalier, je tentais d'être la plus discrète possible. Un raclement de gorge interrompit le fil de mon cheminement. Je me figeai. Edward se tenait derrière moi. Je soufflai un grand coup avant de lui faire face. Ses yeux me parcoururent de la tête aux pieds, le regard indéchiffrable. Je pris alors conscience de ma tenue qui se résumait à sa chemise. Je me mis à tirer dessus pour tenter de cacher mes jambes.

– Tes vêtements sont dans la salle de bains, ils doivent être secs.

– C'est où ?

– Deuxième porte au fond du couloir, ne rentre pas dans la pièce d'à côté.

Il dévala l'escalier avant que j'aie le temps d'ajouter quoi que ce soit. Il avait aiguisé ma curiosité en m'interdisant l'accès à une pièce. Pourtant, je ne tentai pas le diable. Je partis à la recherche de mes vêtements. Une vraie salle de bains de vieux gars, me dis-je en y pénétrant. Des serviettes de toilette roulées en boule, un gel douche, une brosse à dents et un miroir dans lequel on ne voyait pas grand-chose. Mes vêtements posés sur un sèche-serviettes étaient secs. J'ôtai ma chemise avec soulagement. Je la gardai à la main, ne sachant qu'en faire. Je repérai le panier à linge sale. J'avais déjà dormi dans son lit, alors m'approcher de son caleçon de la veille, très peu pour moi. Je vis un portemanteau, c'était parfait. Par automatisme, je m'aspergeai le visage d'eau, cela me fit un bien fou, j'eus l'impression d'avoir les idées plus claires. J'utilisai la manche de mon sweat pour m'essuyer. J'étais prête à affronter Edward, et peut-être à répondre à ses questions.

J'étais à l'entrée de son séjour, je me balançais d'un pied sur l'autre. Postman Pat arriva en trottinant, il se frotta à mes jambes. Je le caressai pour éviter de m'adresser à son maître, dos à moi derrière le bar de sa cuisine.

– Café ? me demanda-t-il brutalement.

– Oui, répondis-je en avançant vers lui.

– Tu as faim ?

– Je mangerai plus tard, un café me suffit.

Il remplit une assiette et la posa sur le bar. L'odeur des œufs brouillés me donna l'eau à la bouche. J'y jetai un coup d'œil méfiant.

– Assieds-toi et mange.

Je lui obéis sans réfléchir. D'une part, je mourais de faim, et d'autre part, son ton ne laissait pas place à la négociation. Edward me scrutait, debout, café à la main, clope au bec. Je portai la fourchette à la bouche, j'ouvris les yeux en grand. À défaut d'être aimable, c'était un cordon-bleu des œufs brouillés. De temps en temps, je levais le nez de mon assiette. Impossible de deviner ses pensées ni de soutenir son regard très longtemps. Je me mis à observer autour de moi. Un seul constat, Edward était bordélique. Il y en avait partout : du matériel photo, des magazines, des livres, des tas de vêtements, des cendriers à moitié pleins. Un paquet de cigarettes entra en collision avec ma tasse, je tournai la tête vers mon hôte.

– Tu en crèves d'envie, me dit-il.

– Merci.

Je descendis de mon tabouret, pris ma dose de nicotine et me dirigeai vers la baie vitrée.

– Edward, je dois t'expliquer ce qui s'est passé hier.

– Tu ne dois rien du tout, j'aurais aidé n'importe qui.

– Contrairement à ce que tu crois, je n'ai pas l'habitude de me donner en spectacle comme ça, je veux que tu comprennes.

– Je me moque de ce qui t'a poussée à le faire.

Il se dirigea vers la porte d'entrée et l'ouvrit. Ce mufle me congédiait. Je fis une dernière caresse au chien, qui me collait toujours. Puis je passai devant son maître et sortis sur le perron. Je me mis face à lui pour le regarder droit dans les yeux. Personne ne pouvait être aussi dur.

– Au revoir, lâcha-t-il.

– Si tu as besoin de quelque chose, n'hésite pas.

– Je n'ai besoin de rien.

Il me claqua la porte au nez. Je restai devant un long moment. Quel con, ce mec.

Je dus faire un grand ménage de printemps pour remettre la maison en ordre. En matière de cuite et de gueule de bois, peu importe le pays, les effets étaient les mêmes.

Félix avait joué son rôle de thérapeute à merveille en m'écoutant de longues heures au téléphone. Je venais de traverser une nouvelle crise et j'étais encore debout. J'allais me lancer dans une nouvelle tentative de guérison.

Je cherchais le moyen d'y parvenir lorsqu'on frappa à la porte. Je fus surprise de découvrir mon voisin. Les dieux étaient contre moi. Je ne l'avais pas revu depuis que j'étais partie de chez lui, une semaine auparavant, et je ne m'en portais pas plus mal.

– Bonjour, dit-il sobrement.

– Edward.

– Finalement, j'ai un service à te demander. Peux-tu garder mon chien ?

– Abby et Jack ne le gardent pas, habituellement ?

– Je pars trop longtemps pour le leur laisser.

– Que veux-tu dire par trop longtemps ?

– Deux semaines ou plus.

– Quand veux-tu que je le prenne ?

– Maintenant.

Il ne manquait pas de culot. Et il avait laissé tourner le moteur de sa voiture, histoire de bien me mettre le couteau sous la gorge. Comme je pris mon temps pour lui répondre, il eut un rictus et me dit :

– O.K., laisse tomber.

– Tu permets ? Je peux réfléchir ?

– Réfléchir ? Pour garder un chien ?

– C'est demandé si gentiment… D'accord, amène-le.

Il alla ouvrir le coffre de son 4x4, d'où Postman Pat sauta. Plus affectueux que son maître, il me fit la fête, ce qui m'arracha un sourire.

– J'y vais, dit Edward.

Il s'était installé au volant.

– Attends, il n'a pas de laisse ?

– Non, tu siffles, et il revient.

– C'est tout ?

Edward ferma sa portière et démarra en trombe. Toujours le même con. Et il avait pris la sale habitude de me claquer toutes les portes au nez.

Voilà trois semaines que j'étais dog-sitter. Trois semaines. Edward se foutait de moi. Mais le chien était sympa ; mon meilleur ami du moment. Mon seul ami dans ce bled, en fait. Il me suivait partout, il dormait avec moi. Quand je me mettais à lui parler, je me faisais un peu peur. Genre vieille mémère à chien-chien. Même si en guise de chien-chien celui-ci tenait à la fois de l'âne et de l'ours. Un mélange indéfinissable.

Je découvrais les joies d'avoir un compagnon à quatre pattes. J'aimais ça, sauf quand il se sauvait. J'avais droit à une fugue quotidienne pendant notre balade sur la plage. J'avais beau m'escrimer à siffler, rien n'y faisait. Aujourd'hui, je m'inquiétais plus que d'habitude. Il avait disparu depuis trop longtemps.

J'étais en nage à force de courir sur la plage. Je crachais mes poumons. La tête penchée, les mains sur les genoux, je reprenais ma respiration quand je reconnus l'aboiement de Postman Pat. Il revenait vers moi accompagné d'une inconnue. Je mis ma main en visière. Plus elle s'approchait, plus je me disais que je n'aurais pas pu passer à côté de cette fille sans la remarquer. Elle devait avoir à peu près mon âge. Elle portait un minikilt avec des rangers. La pneumonie la guettait, elle exhibait un décolleté plongeant à peine recouvert par un blouson de cuir. Une masse bouclée et auburn lui servait de tignasse. Avant d'arriver à ma hauteur, elle attrapa un bâton et le lança au loin pour le chien.

– Fous le camp, sale bête, dit-elle en riant.

Elle continua son chemin jusqu'à moi sans se départir de son sourire.

– Salut Diane, me dit-elle avant de m'embrasser.

– Bonjour, lui répondis-je, interloquée.

– J'ai appris que c'était toi qui le gardais, je suis venue voir s'il ne te faisait pas trop de misères.

– Non, je m'en sors, sauf là.

– Oh, ne t'en fais pas, je ne compte pas le nombre de fois où j'ai fini le cul dans le sable en lui courant après. Il n'obéit qu'à Edward. En même temps, qui aurait envie de faire le fou avec mon frère ?

Elle éclata de rire, et moi, je n'étais pas certaine d'avoir tout saisi, tant son débit de paroles était impressionnant.

– Edward est ton frère ?

– Oui. Oh, pardon, je ne me suis pas présentée, je suis Judith, sa petite sœur.

– Et moi Diane, mais tu le sais déjà.

– Bon, tu me payes un coup chez toi ?

Elle passa son bras sous le mien, nous fit faire demi-tour et nous entraîna en direction du cottage. Cette fille n'était pas la sœur d'Edward, leurs parents ne pouvaient pas avoir engendré deux enfants si différents. Leur seul point commun était la couleur de leurs yeux, ceux de Judith avaient l'exacte teinte de ceux d'Edward, le même bleu-vert.

Je la fis entrer, elle s'écroula directement dans le canapé et mit les pieds sur la table basse.

– Tu veux un café, un thé ?

– Tu es française, il paraît, tu dois bien avoir une bonne bouteille de vin. C'est l'heure de l'apéro.

Cinq minutes plus tard, nous trinquions.

– Diane, je ne peux pas croire que tu sois aussi sauvage que mon frère. Pourquoi habites-tu ici ? C'est beau, d'accord, mais quelle idée tu as eue ?

– C'est une expérience comme une autre, vivre toute seule face à la mer. Et toi, où habites-tu ?

– Au-dessus d'un pub à Dublin, il faudra que tu viennes.

– Peut-être un jour.

– Tu es là combien de temps ? Tu ne travailles pas ?

– Pas pour le moment. Et toi ?

– Je suis en vacances quelques jours, mais je bosse sur le port. Je gère les plannings des containers, ce n'est pas bien passionnant, mais ça paye le loyer et les factures.

Elle continua de jacasser, une vraie pipelette. Puis, comme si une mouche l'avait piquée, elle se leva d'un bond.

– Je te laisse, Abby et Jack m'attendent.

Elle était déjà partie dans l'entrée.

– Attends, tu oublies tes clopes.

– Garde-les, c'est de la contrebande, j'ai un petit accord avec les dockers, me dit-elle en me faisant un clin d'œil.

– Tu ne vas pas rentrer à pied, il fait nuit. Tu veux que je te ramène ?

– Tu rigoles ? Un peu d'exercice pour mes cuisses. À demain !

Judith revint le lendemain comme prévu. Puis le surlendemain. Trois jours qu'elle envahissait mon espace vital. Paradoxalement, sa présence ne m'étouffait pas. Elle me faisait rire. C'était une provocatrice-née. Elle mettait en valeur ses formes dignes de celles d'une actrice italienne et jurait comme un charretier dès qu'elle ouvrait la bouche ; cocktail détonant. Elle m'abreuvait du récit de ses histoires d'amour abracadabrantes. Autant elle était sûre d'elle et n'avait peur de rien, autant elle se faisait avoir par le premier beau garçon qui passait. Un *bad boy* la draguait, et elle était perdue.

Ce soir-là, elle était restée dîner avec moi. Elle mangeait comme quatre et avait la descente d'un homme.

– On est entre nous, tu permets ? me demanda-t-elle en déboutonnant son jean.

J'allai ouvrir au chien qui réclamait sa balade nocturne.

– Pourquoi mon frère t'a-t-il confié son clébard ?

– Je lui devais un service.

Elle me regarda, suspicieuse. Sans relever, je m'installai sur le canapé en repliant mes jambes sous mes fesses.

– Edward a-t-il toujours été comme ça ? demandai-je brusquement.

– Que veux-tu dire par « comme ça » ? reprit-elle en mimant des guillemets avec ses doigts.

– Genre rustre, sauvage, taciturne...

– Oh, ça ? Oui, toujours. Il traîne ce caractère de merde depuis l'enfance.

– Sympa, je plains vos parents.

– Abby ne t'a rien dit ? Ce sont eux – elle et Jack – qui nous ont élevés. Notre mère est morte en me mettant au monde, Edward avait six ans. Notre père ne voulait pas s'occuper de nous, alors il nous a confiés à mon oncle et ma tante.

– Je suis désolée...

– Ne le sois pas. J'ai eu des parents merveilleux, je n'ai manqué de rien. Tu ne m'entendras jamais dire que je suis orpheline.

– Vous n'avez pas vécu avec votre père ?

– On a bien passé quelques journées avec lui, quand il daignait sortir de son bureau, mais c'était l'enfer. À cause d'Edward.

– Il n'était pas heureux de le voir ?

– Non, il pense que nos parents nous ont abandonnés. Il en veut à la terre entière. Malgré toute l'admiration qu'il avait pour papa, dès qu'ils étaient dans la même pièce, ça chauffait.

– Comment ça ?

– Edward est son portrait craché. Alors ça a toujours fait des étincelles, entre eux. Ils passaient leur temps à se gueuler dessus.

– Et toi, tu étais au milieu ?

– Oui, tu imagines l'ambiance.

– Et aujourd'hui, c'est toujours conflictuel ?

– Papa est mort.

– Oh…

– Ouais, on cumule.

Elle rit légèrement, s'alluma une cigarette et regarda dans le vague quelques instants avant de reprendre :

– Jusqu'à la fin, ils se sont affrontés, mais Edward est resté aux côtés de notre père durant toute sa maladie. Il passait des heures à son chevet. Je crois qu'ils ont réglé leurs comptes. Je n'ai jamais su ce qu'ils se sont dit. Edward ne veut pas en parler, il m'a juste assuré que papa était parti paisiblement.

– Quel âge aviez-vous ?

– Moi seize et Edward vingt-deux. Il a aussitôt décrété que c'était lui le chef de famille et qu'il devait subvenir à mes besoins. Abby et Jack n'ont rien pu faire, il est venu me chercher, et on a emménagé ensemble.

– Comment a-t-il fait pour tout gérer ?

– Aucune idée, il faisait ses études, travaillait et s'occupait de moi. En vieillissant, il s'est forgé une carapace pour se protéger de tout et de tout le monde.

– Il n'a pas d'amis ?

– Quelques-uns, triés sur le volet. C'est presque impossible pour lui d'accorder sa confiance. Il est convaincu qu'il sera trahi ou abandonné. Il m'a appris à me débrouiller toute seule et à ne compter sur personne. Il m'a toujours protégée et n'a jamais hésité à jouer des poings pour me défendre de types trop entreprenants à son goût.

– Il est violent ?

– Pas vraiment, il se bat quand on l'emmerde, genre quand on le pousse à bout.

– Je crois bien que c'est ce que j'ai fait, marmonnai-je.

Elle me regarda en plissant les yeux.

– Tu n'as quand même pas peur de lui ?

– Je ne sais pas, il est vraiment désagréable avec moi.

Elle éclata de rire.

– Ça, c'est sûr que ta venue le fait chier, mais ne t'inquiète pas, il a des principes. Entre autres, ne jamais lever la main sur une femme. Il serait plutôt du genre à secourir la demoiselle en détresse.

– J'ai du mal à imaginer que celui dont tu me parles soit mon voisin.

Judith repartait pour Dublin le lendemain. Elle m'avait retrouvée pour ma balade quotidienne avec Postman Pat. Nous étions assises dans le sable. Une fois de plus, elle cherchait à en connaître davantage sur moi.

– Tu caches quelque chose. Que fabriques-tu ici ? Je n'arrive pas à accepter que ni Abby ni moi n'ayons réussi à te tirer les vers du nez.

– Il n'y a rien à dire. Ma vie n'est pas intéressante, je t'assure.

Je partis à la recherche de Postman Pat. Il avait encore échappé à ma surveillance. Je courus en direction du sentier des cottages, j'avais toujours peur qu'une voiture le renverse ou, pire, qu'Edward arrive et trouve son chien laissé en liberté.

Je remis la main dessus et le tirai par son collier pour le ramener vers la plage. À cet instant, le 4x4 d'Edward arriva devant les cottages. Pour bien prouver l'autorité que j'avais sur le canidé, je le tins fermement jusqu'à ce que son maître soit à côté de nous. Il lui fit la fête, et Edward me fusilla du regard. On resta là à se jauger, le chien passant de l'un à l'autre.

Un hurlement strident retentit. Judith arrivait en courant. Elle sauta sur son frère. Je crus distinguer l'esquisse d'un sourire sur le visage d'Edward. Elle finit par le lâcher. Elle lui attrapa le menton et le fixa en fronçant les sourcils.

– Tu as une petite mine.

– Arrête ça.

Il se dégagea de son emprise et se tourna vers moi.

– Merci pour le chien.

– De rien.

Judith se mit à applaudir en nous regardant alternativement.

– Oh putain ! Quelle conversation ! Edward, tu as aligné plus de deux mots. Et toi, Diane, tu es plus causante, d'habitude.

Je haussai les épaules.

– Judith, ça suffit, râla Edward.

– On se calme, le dogue !

– Abby et Jack nous attendent.

– Laisse-moi le temps de dire au revoir à ma nouvelle copine.

Edward leva les yeux au ciel et partit devant. Judith me prit dans ses bras.

– Je reviens dans deux semaines pour les vacances de Noël, j'irai te voir et tu passeras aux aveux.

– Je ne crois pas.

Je lui rendis son étreinte, la présence de cette fille me faisait du bien.

Je restai sur la plage à les regarder partir. Judith sautillait à côté de son frère, heureuse d'être avec lui. Lui, à sa manière, devait l'être tout autant.

– 5 –

Je n'avais pas eu de nouvelles de Félix depuis plus d'une semaine. C'était le comble, je cherchais après lui. Au bout de trois tentatives d'appel, il décrocha enfin.

– Diane, je suis overbooké !

– Bonjour quand même !

– Fais vite, je suis débordé par mes préparatifs de Noël.

– Qu'as-tu prévu ?

– Tes parents m'ont appris que tu ne passais pas les fêtes chez eux, ils m'ont invité, j'ai dit non, ils essaieraient encore de me faire exorciser. À la place, c'est la fête du slip à Mykonos.

– Ah ? O.K.

– Je t'appelle à mon retour.

Il raccrocha. Je restai quelques instants le téléphone collé à l'oreille. De mieux en mieux, loin des yeux, loin du cœur. Que mes parents n'aient pas insisté pour que je rentre pour les fêtes, ça n'avait rien d'étonnant. Leur fille veuve et dépressive aurait fait tache au milieu de leur dîner mondain. Mais Félix qui me laissait tomber, la pilule était plus dure à avaler.

Un grand soleil d'hiver baignait le séjour – du jamais vu –, et pourtant je n'avais pas l'entrain de sortir de chez moi. L'approche des fêtes me faisait broyer du noir. Des coups frappés à ma porte me forcèrent à me décoller de mon fauteuil. J'allai ouvrir. Judith était habillée en lutin du Père Noël, version sexy. Elle me sauta au cou.

– Qu'est-ce que tu fais, enfermée par un temps pareil ? Mets tes moufles, on va marcher.

– Tu es gentille, mais non.

– Parce que tu crois que je te laisse le choix, me dit-elle en me poussant vers le portemanteau.

Elle m'enfonça un bonnet sur la tête, attrapa mes clés et ferma la porte du cottage.

Elle chantait comme une casserole tout le répertoire de Noël. Malgré moi, je riais. Judith réussit un tour de force. Elle me fit traverser toute la baie et Mulranny à pied pour m'entraîner chez Abby et Jack.

– C'est nous ! cria-t-elle en entrant dans la maison.

Je la suivis jusqu'au séjour. Elle alla claquer de gros baisers sur les joues de son oncle et de sa tante.

– Diane, je suis contente de te voir, me dit Abby en me prenant chaleureusement dans ses bras.

Jack me fit un grand sourire et me donna une petite tape sur l'épaule. Il ne manquait que les contes de Dickens pour parfaire le mythe de Noël. Le sapin qui touche le plafond, les cartes de vœux sur la cheminée, les biscuits aux épices sur la table basse, les guirlandes lumineuses, un *Jingle Bells* remasterisé en bruit de fond, tout y était. En moins de quelques minutes, Abby et Judith se chargèrent de me mettre à l'aise. Elles me forcèrent à m'asseoir, Judith me tendit une tasse de thé, et Abby une assiette remplie de cookies, de carrot cake et de pain d'épice. À croire qu'elles voulaient me faire grossir. Jack riait en secouant la tête.

Depuis deux heures, j'assistais à un spectacle. Judith était assise par terre et faisait des paquets-cadeaux qu'elle déposait au fur et à mesure au pied du sapin. Abby tricotait une chaussette de Noël. J'étais en décalage complet avec cette ambiance. Ça dégoulinait de bons sentiments, je ne croyais plus à tout ça. À une époque, j'aurais pourtant été la première à me mettre un chapeau pointu sur la tête et à faire sauter leurs serpentins. Rien que pour Clara.

– Méfie-toi, me dit Jack. Elles complotent, et je crois que ça te concerne.

– Tais-toi donc, lui dit Abby. Diane, nous sommes à deux jours de Noël, et tu ne rentres pas en France ?

– Non, en effet.

Le sourire de façade que j'affichais depuis mon arrivée me quitta petit à petit.

– Viens donc le passer ici, on reste entre nous.

Entre nous ? Ce sale con d'Edward allait-il être de la partie ? Rien que pour le voir animer la soirée de Noël, j'aurais été tentée d'accepter.

– Allez, je ne veux pas que tu sois toute seule, insista Judith.

J'allais répondre quand une porte claqua. Judith se leva et sautilla jusqu'à l'entrée. Les bruits d'une conversation étouffée nous parvinrent.

– Viens, maintenant, et tiens-toi correctement ! dit Judith.

Je ne fus pas étonnée de voir Edward s'encadrer dans la pièce à la suite de sa sœur. Celle-ci, au lieu de se rasseoir, se tint derrière Abby, passa ses bras autour de son cou, posa le menton sur son épaule et me regarda le sourire aux lèvres.

– Dis bonjour, Edward ! lança-t-elle sans me quitter des yeux.

Pour m'empêcher de pouffer de rire, je levai la tête vers lui. Douche froide assurée. Il me fixait durement.

– Bonjour, grommela-t-il.

– Edward.

Il avança dans la pièce, serra la main de Jack et se mit devant la cheminée. Il regarda le feu en nous tournant le dos.

– Maintenant que les civilités sont faites, reprenons le fil de notre conversation, dit Judith.

– Nous sommes sérieux, fête Noël avec nous, poursuivit Abby.

Edward se retourna d'un coup.

– De quoi parlez-vous ? Ce n'est pas l'Armée du Salut, ici.

Son corps était tendu comme un arc, je n'aurais pas été étonnée de voir de la fumée sortir de ses oreilles.

– Tu n'en as pas marre d'être con ? lui demanda sa sœur. On a invité Diane pour Noël, et tu n'as pas ton mot à dire. Si ça ne te plaît pas, on se passera de toi.

C'était explosif entre le frère et la sœur, on aurait dit deux coqs de combat. Mais pour une fois, Edward ne semblait pas le plus dangereux. Malgré le plaisir que je prenais à le voir se ratatiner devant sa cadette, je devais mettre fin à la situation.

– Une minute ! Je crois que moi, j'ai mon mot à dire. Alors je ne viendrai pas, je ne fête pas Noël.

– Mais…

– N'insiste pas.

– Fais comme tu veux, me dit Jack. Mais si tu changes d'avis, la porte t'est grande ouverte.

– Merci beaucoup. Je vais vous laisser, il se fait tard.

– Reste dîner, me proposa Abby.

– Non, merci. Ne bougez pas, je connais le chemin.

Judith se mit en retrait. Abby me prit à nouveau contre elle. Je vis son regard réprobateur se poser sur son neveu. J'allai déposer un baiser sur la joue de Jack qui me fit un clin d'œil. Je me postai devant Edward qui me regarda droit dans les yeux.

– Merci, lui murmurai-je pour que personne ne m'entende. Tu viens de me rendre un grand service. Tu as du bon finalement.

– Fous le camp d'ici, marmonna-t-il entre ses dents.

– Au revoir, lui dis-je à voix haute.

Il ne répondit pas. Je lançai un dernier signe de la main et retrouvai Judith près de la porte d'entrée. Elle me regarda enfiler mon manteau.

– Pourquoi t'enfuis-tu ?

– J'ai envie de rentrer chez moi.

– Je viendrais te voir pendant Noël.

– Non. Je veux rester seule. Ta place est auprès de ta famille.

– C'est à cause de mon crétin de frère ?

– Je ne lui accorde pas cette importance. Il n'a rien à voir avec ça. Il est temps que j'y aille. Bonne soirée. Ne t'inquiète pas pour moi, lui dis-je en l'embrassant.

J'avais oublié que j'étais venue à pied jusque chez eux. Des trombes d'eau s'abattaient sur moi, et il faisait nuit. Les mains enfoncées dans mes poches, j'avançais en évitant de penser. Un coup de klaxon me fit sursauter. Je m'arrêtai et me retournai, mais les phares m'éblouirent. Je fus d'autant plus surprise de voir la voiture d'Edward s'arrêter à ma hauteur. La vitre se baissa.

– Monte.

– C'est l'esprit de Noël ? Ou tu es malade, peut-être ?

– Profite du taxi, ça n'arrivera pas deux fois.

– Et puis après tout, autant que tu serves à quelque chose.

Je montai dans sa voiture. Le même foutoir que dans sa maison y régnait. Pour me faire une place, je dus pousser des objets non identifiés du bout des pieds. Le tableau de bord était encombré de paquets de cigarettes et de journaux, de vieux gobelets de café étaient coincés dans les portières. Dieu sait que je fumais, mais là, l'odeur de tabac froid me donna la nausée. Le silence tenait toute la place dans l'habitacle.

– Pourquoi n'es-tu pas repartie en France ?

– Je ne m'y sens plus chez moi, répondis-je trop vite.

– Ici non plus, tu n'es pas chez toi.

– Attends, c'est pour ça que tu me ramènes ? C'est encore pour m'en mettre plein la figure ?

– La seule chose qui me préoccupe te concernant, c'est ta date de départ.

– Arrête ta putain de bagnole !

Il freina d'un coup sec. Je voulais sortir le plus vite possible, mais impossible de détacher ma ceinture.

– Tu as besoin d'aide ?

– La ferme ! hurlai-je.

Je réussis finalement à m'extirper de là et, pour une fois, c'est moi qui lui claquai la porte au nez. Enfin, la portière.

– Joyeux Noël ! me lança-t-il par la vitre baissée.

Je ne lui accordai pas l'ombre d'un regard et me mis en marche. Sa voiture me frôla en roulant dans une flaque, je fus trempée de la tête aux pieds. Douze ans d'âge mental, et encore. Il finirait par gagner ; en plus de me taper sur les nerfs, il m'épuisait.

C'est en grelottant que j'arrivai enfin chez moi, pour m'y barricader.

Nous étions le 26 décembre, il était onze heures, et quelqu'un frappait à ma porte. Judith. Elle me bouscula pour entrer.

– Noël est fini !

Elle partit dans la cuisine se servir un café et revint s'écrouler dans le canapé.

– Il y a vraiment un truc pas net avec toi, me dit-elle. J'ai une faveur à te demander.

– Je t'écoute.

– Tous les ans, j'organise la soirée du 1er de l'An.

Je me sentis blêmir. Je me levai et allumai une cigarette.

– Le patron du pub me connaît depuis toute petite, il ne peut rien me refuser. Tu sais, à Mulranny, il n'y a que des vieux, et ils ne sont vraiment pas branchés cotillons. Donc, il me prête le pub, et j'en fais ce que je veux. On a passé de sacrés moments, là-bas.

– J'imagine.

– À chaque fois, tous mes potes viennent, c'est de la folie furieuse. On picole, on chante, on danse sur les tables… Et cette année, nous aurons une Française parmi nous.

– Ah ? Nous sommes deux à Mulranny ?

– Arrête, Diane. Tu ne fêtes pas Noël, passons. Tu n'es pas la seule à avoir un problème avec les réunions de famille. Mais le réveillon, c'est une soirée entre amis, pour s'amuser, tu ne peux pas me refuser ça.

– Tu m'en demandes trop.

– Pourquoi ?

– Laisse tomber.

– O.K. Je veux que tu sois là, mais évite le musée des horreurs.

Je fronçai les sourcils.

– Oublie ton pantalon de yoga et ton sweat immonde.

Dans un autre style, elle devenait aussi chiante que son frère. Je soupirai et fermai les yeux avant de lui répondre.

– C'est bon, je viendrai, mais je ne resterai pas longtemps.

– C'est ce que tu dis. Allez, c'est parti, j'ai du pain sur la planche.

Elle fila comme une tornade. Je m'effondrai dans mon fauteuil, et me pris la tête entre les mains.

J'avais réussi à convaincre Judith que je pouvais me passer de son aide. Je savais encore m'habiller toute seule et je supposais que ses conseils vestimentaires auraient été du plus mauvais goût.

Je contemplais mon reflet dans la psyché de ma chambre. J'avais le sentiment d'être déguisée, et pourtant c'était moi que je redécouvrais. Je me regardai longuement dans le miroir. Le constat était simple, j'avais vieilli, j'étais marquée. Des rides avaient fait leur apparition et, à regarder de plus près, j'avais des cheveux blancs. Et puis je pensai à Colin. Alors, je masquai certaines traces de mon chagrin avec du maquillage. J'assombris mes paupières et appliquai une épaisse couche de mascara sur mes cils, je mis mes yeux en valeur pour lui. Par réflexe, je nouai mes cheveux en chignon désordonné, quelques mèches tombaient dans mon cou, il les attrapait toujours. Je m'habillai en noir des pieds à la tête, pantalon, dos nu et escarpins. Mon seul bijou, mon alliance qui pendait entre mes seins.

J'étais devant le pub. Le parking était complet, la fête devait déjà battre son plein. J'allais me retrouver face à un tas d'inconnus. J'allais devoir parler, sourire et cela me semblait au-dessus de mes forces.

Je poussai la porte en soufflant un grand coup. La chaleur me surprit. C'était bondé, ça chantait, ça dansait, ça riait au son de *Sweet Home Alabama*. Incontestablement, les Irlandais possédaient le sens de la fête. Je n'avais jamais vu ça. Je n'eus aucun mal à repérer Judith. Elle ne passait pas inaperçue avec sa crinière de lionne, son pantalon de cuir noir et son corset rouge. Je réussis à me frayer un chemin jusqu'à elle. Je lui tapotai légèrement l'épaule, elle se retourna et sembla troublée.

– Diane, c'est toi ?

– Oui, idiote !

– J'étais sûre qu'une femme fatale se cachait en toi. Fais chier, tu vas me voler la vedette !

– Arrête, sinon je m'en vais.

– Pas question, tu es là, tu restes.

– Je te l'ai dit, aux douze coups de minuit, je fais comme Cendrillon, je m'éclipse.

Elle disparut quelques instants et revint en me tendant un verre.

– Bois, et on en reparle !

Ensuite, elle m'entraîna dans un tourbillon de présentations. Je rencontrai des gens charmants, ils avaient tous le sourire et une envie de s'amuser dépassant tout ce que j'avais pu imaginer. L'ambiance était bon enfant, rien de m'as-tu-vu. Les nombreux verres qu'on me servait au passage m'aidaient à me détendre et à me mettre dans le bain.

Grâce à mes sourires, je pus accéder au bar. Mon verre était vide depuis bien trop longtemps, et si je voulais tenir jusqu'à la prochaine année, je n'avais pas le choix. Je ne lésinai donc pas sur la dose d'alcool. Je sentis une présence à côté de moi, je ne m'en préoccupai pas et continuai à touiller mon cocktail. Si mon niveau de rhum était déjà élevé, celui de whisky de mon compagnon de bar frôlait le tsunami. Je connaissais ses mains, je les avais déjà vues. Contrariée, je levai la tête. Edward était accoudé au bar, il sirotait son verre et me regardait. J'eus l'impression d'être passée au détecteur de métaux.

– Ma sœur a encore fait des siennes, dit-il avec un rictus aux lèvres. Elle a toujours été fascinée par les chiens errants.

– Et toi, tu vas agresser combien de personnes ?

– Aucune, à part toi. Ce sont mes amis.

– Qui voudrait être ami avec toi ?

Je tournai les talons. La soirée s'annonçait encore plus difficile.

J'écoutais d'une oreille les conversations. Judith était à côté de moi, elle ne me lâchait pas, elle avait peur que je prenne la fuite. Mon attention fut distraite par la vue d'un crâne brun rasé. Je bousculai tout le monde sur mon passage pour m'en approcher.

– Félix !

Il se retourna et me vit. Il courut dans ma direction. Je me jetai dans ses bras, il me fit tourner dans les airs. Je riais et je pleurais dans son cou. Il me compressait, mais avoir un câlin étouffant de Félix valait tous les bleus que je récoltais.

– Quand j'ai eu ton message, je n'ai pas pu résister.

– Merci, tu m'as tellement manqué !

Il me reposa au sol, et mit ses mains de chaque côté de mon visage.

– Je t'avais bien dit que tu ne pouvais pas te passer de moi !

Je lui mis une calotte derrière la tête. Il me reprit contre lui.

– Ça fait du bien de te voir.

– Combien de temps restes-tu ici ?

– Je repars demain soir.

Je resserrai mes bras autour de sa taille.

– On boit où dans ton bar ?

Je le tirai vers le comptoir en lui tenant la main. Il but cul sec un premier verre et s'en resservit un deuxième. Il partait du principe qu'il avait déjà un train de retard. Il n'oublia pas de remplir mon verre au passage.

– Tu as repris du poil de la bête. Ça te va bien de t'occuper de toi.

– J'ai joué le jeu pour ce soir, et pour Judith.

– Montre-la-moi.

– Pas de besoin de me chercher, je suis là.

Je me tournai vers elle, le sourire aux lèvres.

– Tu aurais pu me dire que ton mec te rejoignait, me dit-elle, boudeuse.

– Mon quoi ?

– Bah, ton mec, ton homme…

– Stop ! C'est juste Félix…

– Merci pour le juste, me coupa-t-il.

– Oh, ça va, toi. Judith, je te présente mon meilleur ami.

Elle me sonda du regard, mit sa poitrine généreuse en avant et se hissa sur ses talons pour déposer un baiser sur la joue de Félix.

– Diane a eu raison de t'inviter, lui dit-elle. Un peu de chair fraîche, ça me plaît, beaucoup… vraiment beaucoup.

Elle pencha la tête sur le côté et le détailla sous toutes les coutures. Il remplissait tous les critères pour qu'elle tombe dans le panneau, son blouson de cuir, son tee-shirt tellement col V qu'on aurait pu voir son nombril, et son crâne rasé.

– Je suis très heureux de faire ta connaissance, lui dit-il en jouant de son sourire charmeur.

– Et moi donc. J'espère que Diane est prêteuse.

Je filai un coup de pied discret à mon séducteur de meilleur ami, et accessoirement narcissique.

– T'inquiète, on a toute la soirée pour faire plus ample connaissance, mais il y a un truc que je dois te dire.

– Je suis tout ouïe, lui répondit-elle en battant des cils.

– Ça ne collera jamais entre nous.

– Oh ! Je ne me suis jamais fait rembarrer si vite. Je pue de la gueule ? J'ai un truc entre les dents ?

– Non, tu n'as juste rien entre les jambes.

Je levai les yeux au ciel. Judith éclata de rire.

– O.K. Aide-moi au moins à la retenir jusqu'au petit matin, lui dit-elle en me désignant du menton.

– Je sais exactement ce qu'il faut faire pour ça.

Il me tendit un shooter. Ma gorge me brûla, mais je m'en moquais. Je savais qu'avec les deux sur le dos je ne résisterais pas longtemps.

Minuit sonna très vite. Tous les invités décomptèrent les douze coups, sauf Félix et moi. Nous nous étions mis à l'écart, nous nous tenions par la main. Quand tout le monde explosa, j'appuyai ma tête contre son épaule.

– Bonne année, Diane.

– À toi aussi. Viens, allons trouver Judith.

Je l'entraînai derrière moi. Je repérai rapidement celle que nous cherchions.

– Pourquoi t'arrêtes-tu ? me demanda Félix en me rentrant dedans.

– Elle est avec son satané frère.

– Il est plutôt beau mec.

– Quelle horreur ! Tu ne sais pas de qui tu parles ! C'est mon voisin.

– Tu aurais pu me dire que le paysage était excitant, je serais venu te voir plus rapidement.

– Ne dis pas n'importe quoi. Tant pis, on la verra plus tard.

– Tu permets que je tente ma chance.

Je me tournai vivement vers lui. L'œil lubrique de Félix ne trompait pas. Il trouvait Edward à son goût.

– Tu es complètement malade !

– Pas du tout. Réfléchis, je pourrais dompter la bête et lui glisser sur l'oreiller d'être gentil avec toi.

– Arrête de dire n'importe quoi. Invite-moi plutôt à danser.

J'enchaînais les rocks endiablés avec Félix et les chorégraphies délirantes avec Judith. Nous participions aux reprises pleines de ferveur des hits des dieux Irlandais, U2. Chacun des invités rentrait dans une sorte de transe lorsque la voix de Bono résonnait dans le pub. Je me désaltérais entre deux danses à coup de cocktails bien chargés. De temps à autre, j'allais prendre l'air sur la terrasse.

À un moment, cigarette aux lèvres et verre à la main, j'espionnai par la fenêtre Judith et Félix. Il lui donnait un cours très particulier de bachata sur le rythme rock et décalé des Kings of Leon et de leur *Sex on Fire*. Hilarant. Edward déboula et se planta en face de moi.

– On ne peut même pas fumer en paix, dis-je.

– Va dire à ton mariole de foutre la paix à ma sœur.

– Elle n'a pas l'air de se plaindre.

– Fais-le dégager de là, sinon je m'en occupe.

Je me redressai et m'approchai de lui. Je posai

un doigt sur son torse, qui se voulait tout aussi menaçant que ses paroles.

– Ta sœur n'a pas besoin de toi pour se défendre. Et c'est toi qui devrais te méfier de Félix. Tu pourrais tout à fait être à son goût, et il a réussi à coucher avec des mecs bien plus hétéros que toi.

Il attrapa mon poignet et me poussa violemment contre la balustrade. Ses yeux s'ancrèrent dans les miens. Il se colla à moi et serra mon poignet plus fort.

– Ne me pousse pas à bout !

– Sinon quoi ? Tu me frappes ?

– J'hésite.

– Dégage, maintenant.

Je tirai une dernière bouffée sur ma cigarette, crachai la fumée en direction de son visage et laissai tomber mon mégot à ses pieds. Ce n'est qu'une fois à l'intérieur que je réalisai que mes jambes tremblaient.

– Eh bien dis donc, c'était chaud entre toi et le voisin, me déclara Félix en arrivant à côté de moi.

– J'ai essayé de t'arranger le coup.

Je le plantai pour aller au ravitaillement, il me fallait un verre.

Les heures défilaient. Il y avait autant d'alcool dans les corps que sur le sol. L'atmosphère comme les peaux étaient moites et parfumées de relents de sueur. Je ne sentais plus mes pieds à force de danser. Je m'amusais vraiment, j'étais légère et n'en revenais pas. Sauf que mon état d'ébriété avancé commençait à me jouer des tours. Je ne marchais plus très droit, ma vue se troublait, je riais trop fort, et mes inhibitions se levaient. Pour preuve, ma reprise très personnelle de *I Love Rock 'n' Roll* ; je n'aurais jamais le talent de Joan Jett. Je quittai la piste pour rejoindre Félix et Judith qui faisaient les niveaux au bar.

– Je rentre, je n'en peux plus.

– Je prends un dernier verre et je te rejoins chez toi, me répondit Félix.

– Tu es sûre que tu veux aller te coucher ? me demanda Judith.

– Oui, le spectacle est fini ! Merci pour ce soir, je ne pensais pas que j'étais encore capable de faire la fête, lui répondis-je en la serrant dans mes bras.

Tout en me dirigeant vers la sortie, je fouillais dans mon sac à la recherche de mes clés. Je heurtai quelqu'un.

– Désolée.

– Toujours en travers de mon chemin ! me répondit Edward.

– Barre-toi, je rentre chez moi.

Je le bousculai et me retrouvai à l'air frais. Le vent avait beau être cinglant, cela ne m'aida pas pour autant à dessoûler.

Je conduisais tranquillement en direction de mon cottage. Finalement, je conservais une partie de mes réflexes. Je devais reconnaître que je roulais au pas, totalement accrochée à mon volant – encore le syndrome de la petite vieille. Je fus perturbée par une voiture qui me colla. Le conducteur fit des appels de phares. Je ralentis volontairement. La réaction fut immédiate, il déboîta d'un coup de volant et me fit une queue-de-poisson. Je reconnus la voiture d'Edward. Il voulait la guerre, il allait l'avoir.

Devant chez moi, je serrai le frein à main et courus jusque chez lui.

– Ouvre tout de suite cette porte ! hurlai-je en tambourinant. Sors de là immédiatement !

Je me mis à faire les cent pas en continuant à lui crier dessus. Je n'en pouvais plus, j'attrapai des cailloux par terre et les envoyai valdinguer contre sa porte et ses fenêtres.

– Tu es complètement cinglée ! cria-t-il en sortant enfin de chez lui.

– C'est toi le malade. Tu n'es qu'un chauffard doublé d'un connard fini ! On va régler nos comptes une bonne fois pour toutes.

– Va cuver ailleurs.

– Je suis pire qu'une sangsue. Plus tu me diras de partir, plus je resterai.

– J'aurais mieux fait de te laisser moisir sur la plage.

– Tu ne sais pas de quoi tu parles, explosai-je en lui tapant dessus. Tu ne sais rien.

Je cognais de toutes mes forces, j'essayais de le griffer. Il se défendait mollement en esquivant mes attaques simplement avec ses bras.

– Calme-toi ! entendis-je Félix dire derrière moi.

Il passa un bras autour de ma taille, me souleva et m'éloigna d'Edward. Je continuai à frapper dans le vide.

– Lâche-moi, je vais l'étriper.

– Ça ne vaut pas le coup, me répondit-il en resserrant sa prise autour de moi.

Je lançai mes pieds pour pouvoir lui donner un bon coup d'escarpins pointus.

– Protège tes bijoux de famille, connard, hurlai-je.

– Enferme-la, tonna Edward. C'est une folle furieuse.

– Ta gueule !

La réplique de Félix me fit arrêter de gesticuler. Quant à Edward, il parut décontenancé et le fixa, les yeux grands ouverts. Puis il secoua la tête.

– Aussi givrés l'un que l'autre, marmonna-t-il, prêt à rentrer chez lui.

– Reste là, on n'en a pas fini, lui dit Félix.

Il me posa, et prit mon visage en coupe.

– Tu vas me promettre de rentrer chez toi, et d'y rester, d'accord ?

– Non.

– Laisse-moi régler ça. Va te mettre au lit et dors. On se voit demain. Fais-moi confiance, tout ira bien.

Il embrassa mon front et me poussa plus loin. Je titubais plus que je ne marchais, en me retournant tous les deux pas. Félix et Edward étaient toujours au même endroit, je n'entendais rien de leur accrochage.

Arrivée chez moi, je me traînai et me glissai sous la couette. Malgré mon inquiétude pour Félix, j'étais épuisée. La tension, l'alcool, la fatigue vinrent à bout de mes résistances.

– 6 –

Bouger dans mon lit me faisait mal au crâne. J'essayais péniblement d'ouvrir les yeux, ils me piquaient. J'avais la bouche pâteuse et des courbatures. Avant d'avoir posé le pied par terre, je savais que la journée serait interminable. Ça m'apprendrait à faire la folle en soirée. J'ouvris les rideaux pour tenter de me réveiller. À qui était cette voiture garée devant chez moi ? Je sentais qu'il me manquait un détail énorme à propos de la veille. Mon premier shoot de caféine de la journée me remettrait les yeux en face des trous. La descente des marches fut douloureuse, tant j'avais mal aux cheveux. Il y avait un corps étalé sur mon canapé. La brume se dissipa.

Félix.

Il avait un bras et un pied qui traînaient par terre. Il était toujours habillé et ronflait comme un camion. Son visage restait invisible.

– Réveille-toi, lui dis-je en le secouant.

– Tais-toi, je veux dormir.

– Comment vas-tu ? Tu te sens bien ?

– J'ai l'impression d'être passé sous un rouleau compresseur.

Il s'assit, garda la tête baissée et se frotta le crâne.

– Félix, regarde-moi.

Il leva la tête vers moi. Son arcade sourcilière était fendue, et il avait un bel œil au beurre noir. Il s'enfonça dans le canapé, se tint les côtes et grimaça de douleur. Je m'approchai de lui et soulevai son tee-shirt, un énorme bleu s'étalait sur sa peau.

– Mon Dieu, qu'est-ce qu'il t'a fait ?

Félix s'extirpa du canapé d'un bond et fonça devant un miroir.

– Ça va, je suis encore beau.

Il se toucha le visage, fit gonfler ses muscles, se sourit à lui-même.

– Je vais pouvoir frimer en rentrant à Paname.

– Ça n'a rien de drôle, il est dangereux. Tu as eu de la chance.

Il balaya mes remarques d'un geste de la main et revint s'écrouler dans le canapé, non sans grimacer. Cet imbécile avait mal partout.

– Cela dit, la prochaine fois que tu t'exiles, va chez les Pygmées ! Putain, y a pas de doute, ce mec-là est irlandais. Il a appris à marcher sur un terrain de rugby. Quand il m'a plaqué au sol, j'ai cru que je participais aux Six-Nations…

– En gros, tu t'es éclaté à te battre avec ce dingue.

– Je te jure, j'étais sur le terrain, avec la foule en délire.

– Et le ballon ovale, c'était toi. C'est bien joli tout ça, mais as-tu réussi à lui en coller une ?

– J'ai hésité, je ne voulais pas abîmer sa belle gueule.

– Tu te fous de moi !

– Oui et non. Mais rassure-toi, j'ai défendu ton honneur. Je lui ai mis un bon crochet du gauche, il n'est pas près de rouler une pelle.

– C'est vrai ?

– Ça pissait le sang, et sa lèvre a doublé de volume. Tape-m'en cinq !

Je fis la danse de la victoire.

Sous la douche, je riais encore des exploits de Félix. Il n'avait pas arrêté de parler pendant le petit déjeuner. Il m'avait donné des nouvelles de Paris, il m'avait raconté le déménagement de notre appartement. Mes parents et ceux de Colin s'étaient servis dans nos affaires, il ne restait plus rien. Ensuite, il avait dressé le bilan pour Les Gens. Les recettes semblaient au point mort. Un jour ou l'autre, il faudrait reprendre l'affaire en main.

Enroulée dans mon drap de bain, je réfléchissais à mon manque d'envie de rentrer en France. Je croisai mon reflet dans le miroir, et un détail me chiffonna. Ma nuque était nue.

– Félix !

– Quoi ? cria-t-il en montant l'escalier quatre à quatre.

– J'ai perdu mon alliance.

Je me mis à sangloter.

– Qu'est-ce que tu dis ?

– Je l'avais autour du cou hier soir.

– Ne t'inquiète pas, on va la retrouver. Tu as dû la perdre au pub, habille-toi.

Dix minutes plus tard, nous étions en route. Le pub était fermé, j'indiquai à Félix le chemin jusque chez Abby et Jack. Judith aurait la clé.

J'allai frapper à la porte pendant que Félix fouillait la voiture.

– Quelle surprise de te voir aujourd'hui, me dit Abby en m'ouvrant.

– Bonjour Abby, je voudrais voir Judith, c'est urgent.

– Elle dort, mais je peux peut-être t'aider.

– Je dois entrer dans le pub, j'ai perdu quelque chose, hier soir, lui dis-je avec des larmes dans les yeux.

– Ma chérie, que t'arrive-t-il ?

– S'il te plaît, aide-moi.

J'étais dans les bras de Félix quand Abby, Jack et Judith nous rejoignirent au pub. Judith fonça sur nous, mais se concentra sur Félix.

– Qu'est-ce qui s'est passé ? lui demanda-t-elle en touchant son œil. Jack, soigne-le.

– Ce n'est rien, j'ai fait des galipettes avec ton frère.

– Tu as fait quoi avec mon frère ?

– *Secret boy*, tout ce que je peux te dire, c'est que c'était musclé. Mais on s'en fiche, occupe-toi de Diane.

– Si tu le dis. Bon, à toi maintenant, me dit-elle en ouvrant la porte. Ça a intérêt à être important, parce que je veux tirer cette histoire au clair.

– Ça l'est.

Je pénétrai dans le pub et restai pétrifiée quelques instants.

– Tu as déjà fait le ménage ?

– Oui, c'est ouvert ce soir. Je venais juste de me coucher quand Abby m'a sortie du lit. Mais tu as perdu quoi, au fait ?

– Un bijou.

Je commençai à scruter le sol.

– Y a pas mort d'homme, tu t'en rachèteras un.

– Non.

J'avais haussé le ton, tout en me relevant d'un coup. Judith recula d'un pas.

– Judith n'y est pour rien, me dit Félix en s'approchant de moi. Viens, on va chercher tous les deux.

Chacun de nous partit d'un côté du pub. Je me traînai par terre, je caressai le parquet dans l'espoir que mes doigts rencontrent la chaîne.

– Diane, m'appela doucement Abby en s'agenouillant à mes côtés. Diane, regarde-moi.

Elle posa sa main sur mon bras.

– Je n'ai pas le temps.

– Dis-nous ce que tu cherches, on peut t'aider.

– J'ai perdu mon alliance. Je la porte autour du cou.

– Tu es mariée ? demanda Judith.

Les mots refusèrent de sortir.

– Laissons Diane chercher seule, dit Abby.

Je m'enfermai dans ma bulle, je n'entendis plus rien de ce qui se passait autour de moi. J'avançais à genoux, je bousculais les tables et les tabourets, je grattais entre les lattes de parquet pour vérifier que la chaîne n'y avait pas glissé.

– Où sont les poubelles ? demandai-je en me levant.

– J'ai déjà regardé, il n'y a rien, me répondit Félix.

– Tu n'as pas bien regardé.

Je m'écroulai au sol et me tins le ventre en pleurant. Félix me prit dans ses bras et me berça. Je frappai sur son torse avec mes poings.

– Calme-toi… calme-toi.

– C'est impossible, je ne peux pas l'avoir perdue.

– Je suis désolé.

– C'est peut-être l'occasion de tourner la page, intervint Judith. Je ne sais pas, mais si ton mari t'a larguée…

– Il ne m'a pas « larguée ».

Félix prit ma main et la serra fort. Je cherchai l'air, et me blottis de nouveau contre lui. Sans m'en éloigner, je me tournai vers Judith.

– Colin est... Colin est mort.

– Va au bout, me murmura Félix à l'oreille.

– Et Clara... notre fille... est partie avec lui.

Judith porta la main à sa bouche. Félix m'aida à me relever. Je croisai les regards de Jack et d'Abby sans les voir.

– Je vais continuer à chercher, je la retrouverai, promit Judith.

Abby et Jack se contentèrent de me serrer contre eux, je gardai les bras le long du corps, le regard dans le vague. Félix me soutint jusqu'à la voiture. Il attacha ma ceinture de sécurité et emprunta la route du cottage.

Il m'aida à me coucher. Après m'avoir fait avaler un cachet d'aspirine, il s'allongea à côté de moi et me prit dans ses bras. Je perdis la notion du temps. J'étais vide.

– Je dois y aller, me dit-il. J'ai mon avion à prendre. Tu veux rentrer avec moi ?

– Non, je reste ici.

– Je t'appelle rapidement.

Je lui tournai le dos. Il m'embrassa. Je n'eus aucun geste pour lui. J'écoutai le son de ses pas. Il ferma silencieusement la porte de la demeure.

J'entendis sa voiture s'éloigner. J'étais seule. Et Colin et Clara étaient morts une seconde fois.

Depuis trois jours, je restais prostrée dans un fauteuil du séjour. Je tenais toujours à la main les photos de Colin et Clara. Avant de repartir à Dublin, Judith était venue me dire au revoir. Elle n'avait pas retrouvé mon alliance.

Lorsque des coups retentirent de nouveau à ma porte, c'est en traînant des pieds que j'allai ouvrir. Edward se tenait sur le seuil.

– Tu es la dernière personne que je veuille voir, lui dis-je avant de commencer à refermer la porte.

– Attends, me répondit-il en la bloquant avec son poing.

– Qu'est-ce que tu veux ?

– Te donner ça, je viens de la trouver devant chez moi. Elle a dû tomber l'autre nuit. Tiens.

Je ne pouvais plus bouger, je fixai mon anneau qui se balançait sous mes yeux. En tremblant, j'avançai une main. Les larmes ruisselaient sur mon visage. Edward lâcha doucement la chaîne quand ma paume se referma dessus. Je me jetai dans ses bras en sanglotant de plus belle. Il resta sans réaction.

– Merci… merci, tu ne peux pas imaginer…

Mon corps relâchait toute la tension accumulée ces derniers jours. Je m'accrochai à Edward comme à une bouée de sauvetage. Mes pleurs étaient intarissables. Je sentis la main d'Edward sur mes cheveux. Ce simple contact m'apaisa, mais me fit réaliser dans quels bras j'étais.

– Excuse-moi, lui dis-je en m'écartant légèrement de lui.

– Tu devrais la remettre autour de ton cou.

Mes mains tremblaient tellement que j'étais incapable de saisir le fermoir.

– Je vais t'aider.

Il prit la chaîne, l'ouvrit et passa ses bras autour de mon cou. Ma main partit directement à la recherche de mon alliance, je la serrai de toutes mes forces. Edward se recula, et durant quelques secondes on ne se quitta pas des yeux.

– Je vais te laisser, dit-il en passant une main sur son visage.

– Je peux t'offrir quelque chose à boire ?

– Non, j'ai du travail. Une autre fois.

Je n'eus pas le temps de lui répondre, il était déjà parti.

J'étais allée rendre visite à Abby et Jack pour les remercier de leur aide. Ils avaient été très discrets sur le sujet. Cela avait été autre chose de gérer Judith par téléphone, elle ne comprenait pas pourquoi je n'avais pas parlé plus tôt. J'avais senti qu'elle contenait tant bien que mal sa curiosité. En revanche, je n'avais toujours pas eu le cran de remercier mon voisin comme il se devait.

Alors que je prenais le grand air, assise sur la plage, je vis Postman Pat gambader vers moi. Il vint chercher des caresses et se coucha à mes pieds. Il tombait à point nommé, je commençais à congeler sur place, et il me réchauffait déjà.

– Dis donc, tu pourrais me filer un coup de main, je ne sais pas trop quoi dire à ton maître. Il m'a encore sauvé la vie, et je ne voudrais pas paraître ingrate. Tu as une idée ?

Il posa sa tête entre ses pattes et ferma les yeux.

– Tu n'es pas plus bavard que lui, hein ?

– Bonjour, me dit une voix rauque derrière moi.

Depuis quand était-il là ?

– Bonjour.

– S'il te gêne, vire-le.

– Non, au contraire.

Edward eut un sourire en coin. J'étais certaine qu'il avait tout entendu. Il s'accroupit et déposa un sac par terre. Il en sortit un appareil photo, s'alluma une cigarette et me tendit son paquet sans un mot. Je me servis et pris mon courage à deux mains.

– Je voulais te remercier.

– C'est bon.

– Non, je voudrais faire quelque chose pour toi. Dis-moi.

– Tu es têtue. Mais puisque tu insistes, paye-moi une bière ce soir, au pub.

Il se releva et partit en direction de la mer.

– À plus tard, me lança-t-il simplement.

J'étais garée devant le pub depuis un quart d'heure. Edward était déjà là. Je n'arrivais pas à sortir de ma voiture. Je m'apprêtais à aller boire un verre avec mon ennemi juré. Certes, il m'avait rendu mon alliance, mais ça n'effaçait pas l'ardoise. J'aurais aimé avoir la certitude que cela ne finirait pas en pugilat. En poussant la porte du pub, je le vis installé au comptoir, une bière devant lui, un journal à la main. Je le rejoignis et restai debout à ses côtés. Il ne remarqua pas ma présence.

– Vais-je encore avoir besoin de te l'arracher des mains ? lui demandai-je.

– Je croyais que tu te dégonflerais.

– C'est mal me connaître.

Il adressa un signe au barman qui s'approcha. Edward lui tendit sa pinte vide et lui en commanda deux. Je n'eus pas le temps de réagir qu'il payait à ma place. Judith m'avait prévenue, son frère était un macho.

J'étais mal, très mal. Une pinte de Guinness me défiait. J'avais déjà remarqué que toutes les Irlandaises en buvaient, mais je n'étais pas irlandaise. J'étais une petite Parisienne qui pensait dur comme fer que cette bière était dégueulasse. Mon estomac avait déjà enduré leur piquette, il tiendrait le choc face à leur Draught. Et puis je n'avais pas le choix. Hors de question de jouer à la difficile devant ce type.

– À quoi trinquons-nous ? me renseignai-je.

– À la trêve.

Je pris sur moi et avalai une gorgée. Puis une deuxième.

– C'est bon cette saloperie, ça a le goût de café, me dis-je à moi-même.

– Excuse-moi, je n'ai pas compris, tu as parlé en français.

– Rien, laisse tomber.

Le silence qui se glissa entre nous me mit mal à l'aise.

– Tu es content des photos que tu as prises aujourd'hui ?

– Pas vraiment.

– Tu n'en as pas marre de photographier toujours la même chose ?

– Ce n'est jamais pareil.

Il se lança dans un cours magistral sur la photo. Il semblait transporté par son métier. Je m'intéressais à ce qu'il racontait et j'en étais la première étonnée.

– Tu en vis ?

– Je fais pas mal d'alimentaire, mais j'essaye au maximum de me concentrer sur ce qui me plaît. Et toi, à Paris, qu'est-ce que tu fais ?

Je soupirai un grand coup avant de recommander une tournée. Cette fois, je le devançai et payai. En deux heures, j'étais devenue accro à la Guinness. J'en avalai une grande rasade.

– Je tenais un café littéraire.

– Avec ton mari ?

– Non, Colin m'a aidée à l'ouvrir, mais mon associé, c'est Félix.

– Quoi ? Le guignol avec qui je me suis battu ?

– Lui-même. Mais dis donc, le guignol, il t'a quand même laissé un petit souvenir de son passage.

Je pointai du doigt l'entaille qui barrait encore la lèvre d'Edward. Pour être clair, Félix avait grandement exagéré ses exploits.

– On a été assez ridicules, me dit Edward en souriant. Bref, tu veux dire que Félix tient un café littéraire en ce moment ?

– Oui, depuis un an et demi, il est tout seul aux commandes.

– Vous devez frôler la faillite, non ? Je ne dis pas qu'il n'est pas sympathique, mais je ne l'imagine pas très bon gérant ni très bon gestionnaire.

– Tu n'as pas tort. Mais j'ai aussi ma part de responsabilité. Je n'ai fait aucun effort pour reprendre les rênes et, avant la mort de Colin et Clara, je ne me tuais pas à la tâche.

– Tu y retourneras forcément un jour, j'imagine que c'est une sacrée chance d'avoir un café littéraire en plein Paris…

Je fuis son regard.

Nous sortîmes ensemble du pub, avec le même réflexe, allumer une cigarette. Le calumet de la paix. Edward me raccompagna jusqu'à ma voiture avant de monter dans la sienne.

Je mis un temps faramineux à démarrer, tant j'étais surprise par la tournure qu'avait prise cette journée. Un coup de klaxon me sortit de mes pensées. La voiture d'Edward était à ma hauteur. Je baissai ma vitre.

– Je passe devant, me dit-il avec un petit sourire.

– Je t'en prie.

Il partit comme une bombe. Lorsque j'arrivai au cottage, je me dis, pour la première fois, que les lumières chez mon voisin ne m'agressaient pas.

Depuis qu'Edward et moi avions enterré la hache de guerre, nous n'arrêtions pas de nous croiser ; sur la plage, chez Abby et Jack, où je passais de plus en plus de temps, et même parfois au pub.

Je marchais sur la plage. J'avais embarqué Postman Pat pendant qu'Edward prenait des photos. En revenant près de lui, je le vis ranger son matériel précipitamment.

– Que fais-tu ?

– Je n'ai pas envie de me faire tremper, je rentre.

– Petite nature.

Il me sourit.

– Tu devrais en faire autant.

– Tu rigoles, il y a juste trois petits nuages.

– Ça fait presque six mois que tu vis ici, et tu n'as pas encore compris le climat. Je te jure qu'on va essuyer un sérieux grain.

Il prit la direction de chez lui en agitant la main. Postman Pat hésitait entre son maître et moi. Je lui lançai un bâton, et il resta jouer.

Mais le jeu ne dura pas longtemps, des trombes d'eau s'abattirent sur nous moins d'un quart d'heure plus tard. Je remontai vers les cottages en courant, le chien était en tête. Un jour, j'arrêterais de fumer, et je pourrais piquer un sprint. La porte de chez Edward était ouverte, Postman Pat s'y engouffra. Sans réfléchir, je le suivis et me statufiai dans l'entrée, en voyant Edward.

– Je ne vais pas te manger, viens, me dit-il.

– Non, je vais rentrer chez moi.

– Tu n'es pas assez trempée ? Ça ne te suffit pas ?

J'opinai du chef.

– Allez, entre et mets-toi au chaud.

Il partit à l'étage. C'était toujours autant le chantier chez lui. J'allai directement mettre mes mains devant le feu de cheminée. Je me perdis dans la contemplation d'une photo posée sur le rebord ; une photo de femme sur la plage de Mulranny. Edward avait du talent, si le cliché était de lui.

– Enfile ça, me dit-il en arrivant derrière moi.

J'attrapai le pull qu'il me lança. Il m'arrivait aux genoux. Edward me tendit ensuite une tasse de café. Je l'acceptai avec plaisir et me concentrai à nouveau sur la photo sans m'éloigner du feu.

– Ne reste pas debout.

– C'est une de tes photos ?

– Oui, je l'ai prise peu de temps avant de décider de vivre ici.

– La femme, qui est-ce ?

– Personne.

Je me retournai et m'appuyai contre la cheminée. Edward était assis dans un de ses canapés.

– Depuis quand vis-tu à Mulranny ?

Il se pencha vers la table basse pour attraper ses cigarettes. Après en avoir allumé une, il posa les coudes sur ses genoux et se gratta la barbe.

– Cinq ans.

– Pourquoi as-tu quitté Dublin ?

– C'est un interrogatoire ?

– Non… non… désolée, je suis trop curieuse.

Je commençai à retirer le pull.

– Que fais-tu ? me demanda Edward.

– Il ne pleut plus, je ne vais pas t'embêter plus longtemps.

– Tu ne veux pas savoir pourquoi je me suis transformé en ermite ?

Je repassai la tête dans l'encolure du pull, ce qui équivalait à un « si ».

– En fait, j'ai quitté Dublin, parce que je ne supportais plus la ville.

– Judith dit pourtant que tu t'y plaisais, et puis je croyais que tu aimais vivre près d'elle.

– Il fallait que je change de vie.

Il se referma comme une huître et se leva subitement.

– Tu restes dîner ?

La surprise passée, j'acceptai la proposition. Edward s'affaira aux fourneaux, et interdiction totale pour moi de l'aider.

Durant le repas, il me parla de Judith, de ses parents, de son oncle et de sa tante. Moi je me confiai sur mes rapports de plus en plus conflictuels avec ma famille. Il eut la pudeur de ne me poser aucune question sur Colin et Clara.

Je montrai les premiers signes de fatigue.

– C'est qui, la petite nature ? me demanda Edward.

– Il est temps que je rentre.

Edward me raccompagna à l'entrée. J'y remarquai un sac de voyage posé à terre.

– Tu pars ?

– Demain matin, j'ai un reportage à Belfast.

– Que fais-tu de ton chien ?

– Tu le veux ?

– Si ça peut t'arranger.

– Prends-le, il est à toi.

J'ouvris la porte et réussis à siffler Postman Pat, qui arriva en trottinant. Edward lui fit une caresse qui ressemblait plus à une bourrade. Après quelques pas, je me retournai vers lui.

– Quand rentres-tu ?

– Dans huit jours.

– O.K. Bonne nuit.

Le temps avait été exécrable toute la journée, et nous n'avions pas mis, ou presque pas, le nez dehors. Je m'étais amusée à cuisiner, j'en avais eu envie, ça m'avait pris comme ça. Et puis c'était bien pratique d'avoir une poubelle vivante à disposition.

Mon plat mijotait. J'étais confortablement installée dans le canapé, le chien sur mes pieds, un verre de vin sur l'accoudoir, plongée dans *La Belle Vie* de Jay McInerney, et un piano en fond sonore. Mon bien-être fut troublé par des coups à la porte d'entrée. Postman Pat ne broncha pas, il n'avait pas plus envie que moi d'être dérangé. J'allai tout de même ouvrir la porte et découvris Edward.

– Bonsoir, dit-il.

– Je n'avais pas réalisé que tu revenais aujourd'hui.

– Je peux repartir, si tu veux.

– Imbécile, entre.

Il me suivit jusqu'au salon, le chien daigna lui faire la fête, mais repartit rapidement se vautrer à sa place. Edward se mit à tout observer autour de lui.

– Tu fais le tour du propriétaire ? lui demandai-je.

– Pas du tout, mais ça faisait longtemps que je n'étais pas rentré ici.

– Je t'en prie, fais comme chez toi.

– Je n'oserais pas.

– Je te sers un verre ?

– Avec plaisir.

Je partis dans la cuisine. J'en profitai pour surveiller le contenu de ma Cocotte-Minute. J'en avais fait trois fois trop. Je m'appuyai contre la gazinière pour garder l'équilibre. Je rejoignis Edward et lui tendis son verre sans un mot.

– Ça va ? se renseigna-t-il.

– Tu resterais manger avec moi ?

– Je ne sais pas…

J'allumai une cigarette et me mis devant la baie vitrée. On ne voyait rien, il faisait nuit.

– J'ai cuisiné aujourd'hui pour la première fois depuis plus d'un an et demi, et j'ai encore en tête les portions familiales. J'en ai pour un régiment. J'aimerais bien que tu dînes avec moi.

– Ce serait malpoli de refuser.

– Merci, répondis-je en baissant la tête.

Durant le dîner, Edward me raconta sa semaine. Je le fis rire avec mes déboires dus aux fugues de son chien. À certains moments, je survolais la scène, je partageais avec plaisir un repas chez moi avec celui que j'appelais mon fumier de voisin il y avait à peine quelques semaines. C'était surréaliste.

Après avoir lancé la cafetière, je revins dans le séjour, et je trouvai Edward, cigarette aux lèvres, debout au milieu de la pièce. Je ne distinguais pas ce qu'il avait dans les mains et qu'il regardait. Il leva le visage et planta ses yeux dans les miens.

– Vous formiez une belle famille.

Je m'approchai de lui et saisis la photo qu'il tenait. Je m'assis, et il s'accroupit à côté de moi. C'était une de nos dernières photos de famille, quelques semaines avant leur mort.

– Je te présente Colin et Clara, lui dis-je en caressant le visage de ma fille.

– Elle te ressemble.

– Tu trouves ?

– Je vais te laisser dormir.

Il enfila son caban, siffla son chien et partit en direction de l'entrée.

– Je pars dans trois jours pour les îles d'Aran, déclara-t-il.

– Tu veux que je garde Postman Pat ?

– Non, viens avec moi.

– Hein ?

– Accompagne-moi là-bas. Tu ne seras pas déçue.

Sur ce, il s'en alla.

– 7 –

Je ne réfléchis pas longtemps avant d'accepter la proposition d'Edward. Nous partîmes sous les regards médusés d'Abby et Jack, à qui il confiait Postman Pat pour l'occasion.

Le trajet en voiture et la traversée en mer se firent dans le plus grand des silences. Avec lui, j'apprenais à ne pas parler pour ne rien dire.

À peine le pied posé sur l'île, il m'entraîna vers l'une de ses extrémités, où la luminosité était prétendument parfaite pour ses photos. C'est là que je commençai sérieusement à regretter de l'avoir suivi. J'avais toujours eu le vertige, et nous étions au bord d'une falaise, à plus de quatre-vingt-dix mètres de hauteur.

– Je voulais te montrer cet endroit. C'est apaisant, tu ne trouves pas ? me demanda-t-il.

Terrifiant me semblait plus adapté.

– On a l'impression d'être seuls au monde.

– C'est bien pour ça que j'aime être ici.

– Au moins, tu n'es pas dérangé par les voisins.

Nous échangeâmes à cet instant un regard lourd de signification.

– Je me mets au boulot, annonça Edward. Toi, tu restes là et tu honores la tradition de l'île.

– C'est quoi cette histoire ?

– Chaque voyageur doit s'allonger à plat ventre et pencher la tête au-dessus du vide. À toi de jouer !

Il commença à s'éloigner, je le retins par le bras.

– C'est une blague ?

– Tu as peur ?

– Ah non, pas du tout, au contraire, lui répondis-je d'un ton pincé. J'adore les sensations fortes.

– Alors, fais-toi plaisir.

Cette fois-ci, il partit pour de bon. Il me lançait un défi. Je grillai une cigarette. Puis, je me mis à genoux. Seule solution pour m'approcher du bord, ramper. Comme dans un stage commando. Les premiers tremblements apparurent à un mètre de mon objectif. Mes muscles se tétanisèrent, j'étais paralysée, et je n'étais pas loin de hurler de terreur. Le temps passait, et j'étais incapable de me relever et de m'éloigner du précipice. Déplacer ma tête pour repérer où Edward prenait ses photos me semblait impossible, je tomberais forcément. Je murmurai son prénom pour qu'il vienne à mon secours. Aucun effet.

– Edward, viens, s'il te plaît, appelai-je à voix haute.

Les minutes me semblèrent des heures. Edward me rejoignit enfin.

– Qu'est-ce que tu fais encore là ?

– Je prends le thé, ça ne se voit pas ?

– Ne me dis pas que tu as le vertige ?

– Si.

– Pourquoi as-tu voulu le faire ?

– On s'en moque. Fais quelque chose, n'importe quoi, tire-moi par les pieds, mais ne me laisse pas là.

– N'y compte pas.

Le salaud. Je le sentis s'allonger à côté de moi.

– Qu'est-ce que tu fais ?

Sans un mot, il se rapprocha davantage, passa un bras par-dessus mon dos et me serra contre lui. Je ne bougeai toujours pas.

– Avance avec moi, me dit-il doucement.

– Non, soufflai-je.

Quand je sentis Edward amorcer le mouvement vers le bord, je camouflai ma tête dans son cou.

– Je vais tomber.

– Je ne te lâcherai pas.

Je dégageai lentement mon visage. Le vent me fouetta, et mes cheveux voltigèrent dans tous les sens. J'ouvris doucement mes paupières et j'eus le sentiment d'être aspirée dans un gouffre en découvrant les vagues se fracasser contre la paroi. La prise d'Edward se raffermit. Je clignai des yeux, je me laissai aller, je ne pouvais rien contrôler, tout mon corps se relâcha. Je finis par tourner la tête vers Edward. Il me regardait.

– Quoi ? lui demandai-je.

– Profite du spectacle.

Je lui jetai un dernier coup d'œil et me penchai à nouveau. Edward finit par se lever, il m'attrapa par la taille et me mit debout. J'esquissai un sourire.

– On va rentrer, m'annonça-t-il en posant une main au creux de mes reins.

Nous passâmes la soirée au pub du port. Sur le chemin du retour vers le B&B où nous logions, j'appris qu'il partirait tôt le lendemain matin, il avait des prises à faire au lever du soleil.

Je m'étirai dans mon lit, j'avais dormi comme un bébé. La journée était déjà bien avancée. En me levant, j'aperçus un papier glissé sous la porte de ma chambre. Une carte de l'île et un mot m'attendaient. Edward m'indiquait où il passait la journée.

Le propriétaire me servit un petit déjeuner pantagruélique. En le dévorant, je l'écoutai me parler d'Edward et de ses séjours en solitaire ici.

Un peu plus tard, je touchais au but. J'avais marché plus d'une heure à travers la lande. La plage était là devant moi, je voyais Edward au loin, appareil photo en main. Si je n'avais pas eu peur de le déconcentrer, je crois que j'aurais couru vers lui, sans trop savoir pourquoi. Je m'assis pour l'observer. Je pris une poignée de sable et jouai avec. J'étais bien, je ne me sentais plus oppressée. La vie reprenait ses droits, et je ne voulais plus lutter contre.

Edward remontait la plage, sac sur l'épaule, cigarette aux lèvres. Arrivé à mon niveau, il s'installa à côté de moi.

– La marmotte est réveillée ?

Je baissai la tête en souriant. Je le sentis s'approcher. Ses lèvres se posèrent sur ma tempe.

– Bonjour, dit-il simplement.

J'étais troublée.

– Alors, ces photos ? questionnai-je pour passer à autre chose.

– Je verrai au tirage, pas avant. J'ai fini pour la journée. Tu veux marcher un peu ? proposa-t-il en se relevant.

Je levai le visage vers lui. Je le fixai, j'avais envie de lui prendre la main, et rien ne m'en empêcha. Il m'attira contre lui. J'y restai quelques instants, chamboulée par le sentiment de sécurité qui me submergeait. Je finis par m'éloigner lentement. Je marchai vers la mer, je regardai en arrière, Edward me suivait, je lui souris, il me rendit mon sourire.

J'avais dormi la moitié de la journée, et pourtant j'étais épuisée. J'allais encore tomber comme une masse.

– Qu'as-tu prévu demain ? demandai-je à Edward devant la porte de ma chambre.

– J'ai trouvé un bateau pour aller passer la journée sur une autre île au large.

– Je peux venir avec toi ?

Il sourit, et passa une main sur son visage.

– Laisse tomber, je vais t'encombrer, lui dis-je en ouvrant la porte de ma chambre.

– Je n'ai pas dit non.

Je me retournai et le regardai.

– Viens avec moi, mais tu vas devoir te lever aux aurores.

Un sourire s'étira au coin de ses lèvres.

– Hé ! Je suis capable de me réveiller !

– Dans ce cas, je passe te chercher à six heures.

Il se rapprocha de moi et eut le même geste que dans l'après-midi, il m'embrassa sur la tempe.

J'avais programmé le réveil de la chambre et celui de mon portable. Lorsque toutes les sonneries se déclenchèrent, je fis un bond dans mon lit. J'eus le sentiment d'avoir à peine dormi. Je crus m'écrouler de fatigue sous la douche. C'est totalement au radar que j'ouvris ma porte à six heures pétantes. Les yeux mi-clos, je vis Edward, frais comme un gardon.

– Tu viens de quelle planète ? lui demandai-je la voix enrouée de sommeil.

– Je dors peu.

– Il y a des couchettes sur le bateau ?

Il me fit signe de le suivre. Il fit un crochet par la cuisine pendant que je m'appuyais au mur de l'entrée en me demandant comment j'allais tenir toute la journée.

– Tiens, me dit-il.

J'ouvris les yeux. Il me tendait une tasse Thermos.

– C'est bien ce que je crois ?

– Je commence à te connaître.

– Merci, mon Dieu !

Ma dose de caféine et ce que je découvris en arrivant sur le port finirent par me réveiller. On entendait au loin le bruit des chaluts et on distinguait la brume dans la nuit grâce aux spots des bateaux de pêche. Je compris très vite que nous nous apprêtions à monter sur un de ces rafiots. Il ne me manquait plus que le ciré jaune et les bottes bleu marine pour faire très Parisienne à la mer. Je restai en retrait tandis qu'Edward allait saluer les marins. Ils avaient tous une clope au bec, le visage buriné par les éléments. Des forces de la nature. Je me sentis particulièrement mal à l'aise lorsqu'ils se retournèrent tous vers moi. Edward me fit signe d'approcher pour embarquer.

– Tu vas rester dans la cabine de pilotage, me dit-il.

– Et toi ?

– Je vais avec eux.

– D'accord.

– Ne bouge pas de là, je viendrai te chercher. Et euh… ne touche à rien et n'ouvre pas la bouche.

– Je sais me tenir.

– Tu ne connais pas le dicton ? Une femme porte malheur sur un bateau. Et tu n'étais pas prévue au programme, j'ai dû batailler pour que tu restes avec moi.

– Que leur as-tu dit pour les convaincre ?

Il me regarda, très sérieux d'un coup, et se passa la main sur le visage.

– Rien de spécial.

Il me laissa là.

Comme je n'avais causé aucun problème durant la traversée, j'eus droit à des sourires quand je descendis du bateau.

Après avoir passé la matinée sur le port, au milieu des chalutiers, nous partîmes en direction d'une plage. En fait de plage, c'était une crique entourée de falaises. Edward se mit au travail, j'en profitai pour aller découvrir ce qui se cachait derrière les rochers. Je les escaladai. Rien d'autre que la mer à perte de vue. Je m'adossai à la roche et fermai les yeux. Un rayon de soleil me réchauffait, je savourai l'instant.

Edward m'appela, dans mon dos.

– Diane !

– Oui ?

Je jetai un coup d'œil dans sa direction, et mon sourire s'évanouit quand je découvris qu'il venait de me prendre en photo. Il afficha un petit air satisfait et repartit. Je me dépêchai de descendre de mon rocher pour lui courir après.

– Montre-moi tout de suite ces photos !

– Propriété de l'artiste, me répondit-il en levant son appareil.

Je tournai autour de lui et essayai de sauter pour le lui attraper, en vain. Je finis par m'affaler dans le sable, Edward me rejoignit.

– Je les verrai un jour ?

– Si tu es sage.

Je repérai son appareil laissé à l'abandon. En moins de deux, je passai par-dessus lui, volai l'objet de ma convoitise et détalai comme un lapin. Pensant avoir quelques fractions de seconde de répit, je tournai l'appareil dans tous les sens.

– Ça s'allume comment, ce truc ?

– Comme ça.

Edward était juste derrière moi. Il passa ses bras de chaque côté de mon corps, mit ses mains sur les miennes et me guida. L'écran s'alluma.

– Tu veux vraiment les voir maintenant ? me demanda-t-il à l'oreille.

– J'attends à une condition.

– Je t'écoute.

– Je veux des photos avec toi.

– Je ne supporte pas ça.

– Monsieur le photographe aurait-il peur de se faire tirer le portrait ?

Il ne répondit pas et commença à tripoter le réglage de l'appareil. Son visage penché par-dessus mon épaule affichait un air concentré. Il finit par lever son bras et appuya sans me prévenir.

– Souris, Edward. Attends, je vais t'aider.

Je me tournai dans ses bras, il fronça les sourcils. Mes mains se posèrent sur son visage, je tirai sa bouche de chaque côté.

– Tu vois, quand tu veux ! Allez, fais ton boulot !

C'était la première fois que je voyais Edward si joyeux, presque insouciant. Il me fit grimper sur son dos pour une série de clichés. Je gesticulai tellement qu'on finit par tomber. Je réussis à lui chiper son appareil des mains et partis en courant. Lorsque je me retournai, je vis qu'Edward n'avait pas bougé de place et qu'il me suivait des yeux. Il s'assit, s'alluma une cigarette, tourna la tête, et son regard se perdit dans le vague. Par je ne sais quel miracle, je réussis à immortaliser la scène. Je le retrouvai et restai debout devant lui.

– Alors, qu'en pense le professionnel ?

Il coinça une cigarette au coin de ses lèvres, récupéra son bien et se pencha dessus. Il leva les yeux vers moi quand il découvrit qu'il était le sujet de la photo.

– Viens là, me dit-il en me montrant l'espace entre ses jambes.

Je m'y glissai, il m'encercla de ses bras et me mit l'écran sous les yeux.

– Ce n'est pas mal du tout pour une première, déclara-t-il. Mais tu vois, là, il manque…

Je n'entendais plus ce qu'il me racontait, je le fixais et le redécouvrais, ses cheveux en bataille, sa barbe de trois jours, la couleur de ses yeux. Je sentis son parfum pour la première fois, un mélange de savon et de tabac froid. L'émotion fut telle que je dus fermer les paupières.

– On en fait une petite dernière.

Je rencontrai son regard sur moi. Il posa son appareil sans me quitter des yeux. Il mit une main sur ma joue. Je m'appuyai contre sa paume.

– On doit retourner au port, le bateau ne va pas nous attendre, dit-il, la voix plus rauque que d'habitude.

Il se leva, rangea son matériel et m'aida à me lever. Nos mains restèrent jointes un long moment sur le chemin du retour.

– Réveille-toi. On est arrivés.

C'était la voix d'Edward. Je m'étais endormie dans ses bras, durant la traversée. Il caressait ma joue pour m'aider à émerger. Je frottai mon visage contre lui, j'étais bien.

Le propriétaire du B&B nous accueillit malgré l'heure tardive. Il nous avait laissé des restes pour notre dîner. Edward était ici comme chez lui. Il réchauffa le plat et nous servit un verre, tandis que, perchée sur un tabouret de bar, je le regardai sans rien faire. À table, nous n'échangions que des regards, aucune parole.

– Tu n'as pas oublié qu'on rentrait demain à Mulranny ? me demanda Edward après le dîner, alors que nous fumions une cigarette dehors.

– Je n'y pensais plus, lui répondis-je avec un poids soudain sur l'estomac.

– Ça va ?

– Je me sens libre, ici. Je n'ai pas envie de rentrer.

– Allons dormir.

Il me tint la porte d'entrée ouverte, je passai devant en le frôlant, il me suivit jusqu'à ma chambre. En me retournant, je fus surprise par sa proximité. Il avait une main appuyée en hauteur sur le mur, la tête baissée.

– Merci pour ces trois jours.

– J'ai été heureux de t'avoir avec moi.

Il plongea son regard dans le mien. Mon cœur s'emballa. Il s'approcha de moi, ses lèvres se posèrent sur ma tempe et s'y attardèrent. Ce fut plus fort que moi, je m'agrippai à sa chemise. Il se détacha légèrement et se pencha. Nos fronts se frôlèrent. Je ne maîtrisai plus ma respiration, mon ventre se contracta. Sa bouche effleura la mienne une première fois, puis une deuxième. Il m'enlaça, et m'embrassa profondément, je lui rendis son baiser. Lorsque nos lèvres se séparèrent, il posa son front contre le mien, et caressa ma joue.

– Arrête-moi, s'il te plaît, me murmura-t-il.

Je baissai les yeux et vis mes mains toujours agrippées à sa chemise. Tous mes sens étaient en ébullition, mais je devais faire le tri dans mes émotions. À contrecœur, je desserrai mes doigts et, le plus doucement possible, je l'éloignai de moi. Il se laissa faire, trop facilement.

– Excuse-moi, dit-il. Je…

Je le fis taire en posant un doigt sur sa bouche.

– Je crois que, pour ce soir, il vaut mieux s'en tenir là.

Je déposai un baiser à la commissure de ses lèvres. J'ouvris la porte et pénétrai dans ma chambre. Je me tournai vers lui, il ne me lâchait pas des yeux.

– Dors bien, lui dis-je tout bas.

Il passa une main sur son visage, me sourit et fit deux pas en arrière. Je fermai la porte silencieusement et m'y adossai. Ce n'est qu'à cet instant que je remarquai mes jambes flageolantes. J'écoutai les bruits de la maison, j'entendis Edward redescendre. Je souris, il allait fumer, j'en étais certaine.

Encore chamboulée, je me glissai sous la couette. Dans la pénombre, je passai mes doigts sur mes lèvres. J'avais aimé sentir les siennes. J'aurais pu aller plus loin, je ne l'avais pas fait. Trop rapide, peut-être. Je me calai au milieu du lit. Malgré mes paupières lourdes, je fixai le rai de lumière sous la porte. Puis il y eut des pas dans l'escalier, qui s'arrêtèrent devant ma chambre. Je me redressai. Edward était là, tout près. Je posai mes pieds par terre en réfléchissant à toute vitesse à ce que je devais faire. J'étais décidée à lui ouvrir la porte quand je l'entendis partir vers sa chambre. L'obscurité fut totale, je me rallongeai. En sentant le sommeil me gagner, je me dis que le lendemain je verrais Edward. J'étais impatiente.

J'ouvris les yeux, et mes premières pensées furent pour lui. Je regardai ma montre, notre bateau partait dans une heure. Je me douchai, m'habillai, rangeai mes affaires et fermai mon sac. Dans le couloir, je jetai un coup d'œil à la porte de sa chambre, elle était ouverte. J'allai voir s'il était encore là. Personne. Le ménage avait déjà été fait. Je me rendis à la cuisine. Seul le propriétaire s'y trouvait. Il me sourit et me tendit une tasse de café. Il entreprit de me servir encore un de ses petits déjeuners dont il avait le secret.

– Non merci. Je n'ai pas très faim, ce matin.

– Comme vous voulez, mais pour la traversée, c'est mieux d'avoir quelque chose dans le ventre.

– Je me contenterai du café.

En restant debout, je bus quelques gorgées.

– Vous avez vu Edward ? questionnai-je.

– Il est tombé du lit. Encore moins causant que d'habitude, vous imaginez ?

– Difficile à croire.

– Il est parti sur le port, et puis il est revenu régler vos nuits.

– Et là, où est-il ?

– Un vrai lion en cage, il vous attend dehors.

– Ah...

Je déglutis et finis mon café, sous l'œil goguenard de mon hôte.

– Vous êtes toute pâle. C'est à cause de la traversée ou d'Edward ?

– Quel est le pire ?

Il éclata de rire.

Je lui fis un petit signe de la main pour le saluer et me dirigeai vers l'entrée.

Edward ne remarqua pas mon arrivée. Le visage fermé, il tirait sur sa cigarette comme un forcené. Je l'appelai doucement. Il se tourna, me fixa avec une expression indéchiffrable sur le visage et s'avança vers moi. Sans un mot, il attrapa mon sac. Je le retins par le bras.

– Tu vas bien ?

– Et toi ? me demanda-t-il brutalement.

– Oui, enfin je crois.

– Allons-y.

Il esquissa un sourire, prit ma main et m'entraîna vers le port. Plus nous avancions, plus je me rapprochais de lui. Je finis par entrelacer nos doigts.

En arrivant sur le bateau, nous dûmes nous lâcher pour qu'il se décharge de son fardeau. Je le suivis sur le pont. Il y avait un vent à décorner les bœufs. Il alluma une cigarette qu'il me tendit, je la pris et l'observai allumer la sienne. Il s'appuya au bastingage. On fuma en silence.

Le bateau quitta l'île. Nous n'avions pas bougé.

– Ça va secouer, me dit Edward en se redressant.

– Tu restes là ?

– Pour le moment. Rentre, si tu préfères.

Je me campai sur mes pieds et m'accrochai à mon tour à la rambarde. Ça tanguait déjà, et le vent me faisait mal aux oreilles, mais pour rien au monde je n'aurais voulu être ailleurs. D'un coup, je fus à l'abri. Edward s'était installé derrière moi, ses bras autour de mon corps, ses mains sur les miennes.

– Préviens-moi si tu te sens mal, me dit-il à l'oreille.

Le rire était perceptible dans sa voix, je lui donnai un léger coup de coude dans les côtes.

Nous effectuâmes toute la traversée serrés l'un contre l'autre et sans échanger un mot. C'était tellement bon de profiter de tout ça à deux. Une fois que le bateau fut à quai, Edward alla récupérer nos sacs de voyage. Il prit à nouveau ma main dans la sienne pour rejoindre le parking. Pendant que je montai dans la voiture, il chargea le coffre. Lorsqu'il y grimpa à son tour, il soupira profondément. Il dut sentir que je l'observai, il se tourna et me regarda droit dans les yeux.

– On rentre ?

– C'est toi le chauffeur.

Durant tout le trajet, nous nous enfermâmes chacun dans nos pensées, bercés par la musique des Red Hot Chili Peppers, mélange de douceur et de brutalité à l'image d'Edward. Seul le bruit de l'allume-cigare se faisait entendre. Alternativement, nous enchaînions les cigarettes. Le paysage défilait sous mes yeux, et je tripotais ma chaîne et mon alliance. Je n'osais plus regarder Edward. Lorsque je vis le panneau de Mulranny, je me raidis. Il gara la voiture devant mon cottage et laissa le moteur tourner.

– Bon, j'ai du boulot.

– Pas de problème, lui répondis-je précipitamment en descendant de la voiture.

Je claquai la portière plus fort que je ne l'avais souhaité. Je récupérai mes affaires dans le coffre. Edward ne bougea pas mais ne démarra pas pour autant. Arrivée devant la porte du cottage, je partis en quête de ma clé. Lorsque je mis enfin la main dessus, je fulminais tellement que je n'arrivai pas à trouver le trou de la serrure. S'il n'avait rien à me dire, il n'avait qu'à partir.

Je lâchai tout et me retournai précipitamment. Je percutai Edward. Il me rattrapa par la taille avant que je ne tombe en arrière. Plusieurs secondes passèrent. Puis il me lâcha. Je passai ma main dans mes cheveux, il s'alluma une cigarette.

– Tu pourrais me rejoindre chez moi, ce soir ? me proposa-t-il.

– Je… oui… j'en ai envie.

Nous nous regardâmes longuement. La tension monta d'un cran. Edward secoua légèrement la tête.

– À plus tard.

Je fronçai les sourcils en le voyant se pencher. Il ramassa ma clé et ouvrit la porte.

– C'est mieux comme ça, non ?

Il m'embrassa sur la tempe et repartit vers sa voiture sans que j'aie le temps de lui dire un mot. Je regardai son 4x4 démarrer dans un nuage de poussière.

– 8 –

Je venais de sortir de la douche. Elle avait été longue, bouillante et relaxante. J'étais nue devant le miroir et j'observais mon corps. Voilà bien longtemps que je n'y avais pas prêté attention. Il s'était éteint à la mort de Colin. Edward l'avait réveillé doucement hier. Je savais ce qui se passerait entre nous ce soir. Jusque-là, je pensais que plus aucun homme ne me toucherait. Laisserais-je les mains et le corps d'Edward remplacer ceux de Colin ? Je ne devais pas penser à ça. Je renouai avec des gestes de femme ; m'enduire la peau de crème hydratante, mettre une goutte de parfum au creux de mes seins, lisser mes cheveux, choisir de la lingerie, m'habiller avec l'envie de séduire.

La nuit était tombée. J'étais dans tous mes états, telle une adolescente transie d'amour, pour un homme que je haïssais il y avait peu de temps encore. Et là, quelques heures sans lui me mettaient en état de manque. Je jetai un coup d'œil par la fenêtre, les lumières chez lui étaient allumées. Avant de commencer à me ronger les ongles, je grillai une cigarette. J'errais dans la pièce, j'avais des bouffées de chaleur, et puis j'étais prise de frissons. À quoi bon attendre plus longtemps ? J'enfilai mon blouson de cuir, attrapai mon sac à main et sortis. Quelques mètres séparaient nos cottages, je trouvai quand même le moyen d'allumer une autre cigarette. Je m'arrêtai au milieu du chemin, je me dis que je pourrais faire demi-tour, il n'en saurait rien, je lui téléphonerais, je lui dirais que je ne me sentais pas bien. J'étais terrifiée, j'allais forcément le décevoir, je ne savais plus comment faire. Je ris toute seule. Ridicule, voilà ce que j'étais, c'était comme le vélo, ça ne s'oubliait pas. J'écrasai mon mégot et allai frapper à sa porte. Edward mit quelques secondes avant de l'ouvrir. Il me regarda de haut en bas puis plongea ses yeux dans les miens. Ma respiration s'affola, et le semblant de calme dont j'avais pensé faire preuve partit en fumée.

– Entre.

– Merci, lui répondis-je d'une toute petite voix.

Il se décala pour me laisser passer. Postman Pat me fit la fête, cela ne me détendit pas le moins du monde. Je sursautai lorsque je sentis la main d'Edward se poser dans le bas de mon dos. Il me guida jusqu'au salon.

– Je te sers un verre ?

– Oui, je veux bien.

Il m'embrassa sur la tempe et partit derrière le bar. Plutôt que de le suivre des yeux, je préférai observer autour de moi pour me convaincre que c'était le même Edward qu'avant notre séjour sur les îles d'Aran, que nous allions passer une soirée tout à fait normale et amicale, que je m'étais fait des films sur nous deux. Son bordel légendaire et ses cendriers qui débordaient allaient me rassurer. Je scannai la pièce plusieurs fois de suite, en proie à la plus grande panique.

– Tu as fait le ménage ?

– Ça t'étonne ?

– Peut-être, je ne sais pas.

– Viens t'asseoir.

Je jetai un coup d'œil dans sa direction. Il me fit signe de m'installer dans le canapé. Je posai mes fesses sur le rebord. Je pris le verre de vin qu'il me tendait sans le regarder. Je devais à tout prix trouver un truc pour combattre ma nervosité. J'attrapai une cigarette, je n'eus pas le temps d'allumer mon briquet qu'une flamme apparut sous mon nez. Je remerciai Edward.

Il s'assit sur la table basse en face de moi, but une gorgée de Guinness et me regarda. Je piquai du nez. Il souleva mon menton.

– Tout va bien ?

– Bien sûr. Qu'as-tu fait aujourd'hui ? Tu as travaillé ? Et les photos, ça donne quoi ? Tu sais, celles qu'on a prises ensemble.

Ma tirade m'avait essoufflée. Edward caressa ma joue.

– Détends-toi.

J'expirai tout l'air que j'avais dans les poumons.

– Excuse-moi.

Je me levai d'un bond et déambulai dans la pièce avant de me poster devant la cheminée. Je finis ma cigarette, balançai le filtre dans le feu. Je sentis la présence d'Edward derrière moi. Il saisit mon verre, le posa sur le rebord de la cheminée et mit ses mains sur mes bras. Je me raidis.

– De quoi as-tu peur ?

– De tout…

– Tu n'as rien à craindre avec moi.

Je me tournai pour lui faire face. Il me sourit, repoussa les cheveux de mon visage. Je me blottis dans ses bras. Je respirai son parfum. Sa main remonta le long de mon dos. Nous restâmes enlacés un long moment. J'étais bien. Tous mes doutes s'envolèrent. Je l'embrassai délicatement. Il prit mon visage en coupe, posa son front contre le mien.

– Tu sais que j'ai failli rebrousser chemin en venant chez toi ?

– On a raté une belle occasion de s'écharper, alors.

– Tu veux dire que tu serais venu réclamer des explications ?

– Pas qu'un peu.

Je jouais avec un bouton de sa chemise.

– J'ai pensé à toi toute la journée.

Je levai les yeux vers lui, il emprisonna mon regard. C'était à moi de décider jusqu'où nous irions. C'est là que je demandai à mon cerveau de cesser de fonctionner ; mon corps prenait le commandement. Je me mis sur la pointe des pieds.

– Je te fais confiance, lui dis-je, mes lèvres collées aux siennes.

Je lui donnai un baiser comme je pensais ne plus jamais en donner. Il m'attrapa par les hanches et me colla à lui. Je me cramponnai à ses épaules. Je sentis ses mains se faufiler sous mes vêtements, il toucha mon dos, mon ventre, mes seins. Ses caresses me donnèrent confiance en moi, je tirai sa chemise de son jean, la déboutonnai, je voulais aussi découvrir sa peau, une peau chaude, vivante. Nos lèvres se décollèrent le temps qu'Edward me débarrasse de mon tee-shirt. Nos regards se croisèrent. Il me souleva, j'enroulai mes jambes autour de sa taille. Puis il nous allongea sur le canapé. Je laissai échapper un soupir de plaisir au moment où nos peaux nues se touchèrent pour se coller l'une à l'autre. Je sentis sa barbe me chatouiller le cou, il déposa un baiser près de mon oreille.

– Tu es sûre de toi ? murmura-t-il.

Je le regardai, passai la main dans ses cheveux, lui souris et l'embrassai. C'est à cet instant que le chien grogna, ce qui nous perturba quelque peu.

– Couché, lui ordonna Edward.

Nous tournâmes tous les deux la tête dans sa direction. Babines retroussées, il grognait toujours et fixait la porte d'entrée. Edward mit un doigt sur ma bouche pour m'empêcher de parler. Des coups à la porte retentirent.

– Tu devrais aller voir, chuchotai-je. C'est peut-être important.

– On a mieux à faire.

Il fondit sur ma bouche tout en déboutonnant mon jean. Aucune envie de le contrarier.

– Edward, je sais que tu es là ! lança une voix féminine à travers la porte.

Le ton était péremptoire. Edward ferma les yeux, les traits de son visage se durcirent. Il commença à s'éloigner, je le retins.

– Qui est-ce ?

– Ouvre-moi, s'impatienta la femme. Je dois te parler.

Il se dégagea de mon emprise, se leva. Je m'assis sur le canapé, enroulai mes bras autour de mes seins et l'observai. Comme s'il cherchait à se réveiller, il frotta son visage, s'ébouriffa les cheveux. Puis il alluma une cigarette et récupéra sa chemise par terre.

– Que se passe-t-il ? lui demandai-je doucement.

– Rhabille-toi.

Sa voix claqua. Les larmes aux yeux, je partis à la recherche de mon tee-shirt et de mon soutien-gorge. Une fois que j'eus fini de me rajuster, il se dirigea vers la porte d'entrée sans un geste pour moi. Il donna un coup de pied en direction de Postman Pat pour le dégager de son chemin. Le chien vint se réfugier contre mes jambes. Edward serra la poignée de porte avec force, au point de faire ressortir ses veines. Puis, il l'ouvrit. L'intruse était cachée par son corps, mais j'entendis tout.

– Megan, dit-il.

– Mon Dieu, je suis si heureuse de te voir. Tu m'as tellement manqué.

Elle lui sauta au cou. C'était une mauvaise blague. Ce fut plus fort que moi, je toussotai. Le dos d'Edward se raidit. La femme leva son visage, me vit, se détacha de lui et se décala.

Elle était splendide, élancée, des formes harmonieuses, un regard de velours. Une cascade de cheveux noirs lui tombait dans le dos. Son allure, sa tenue reflétaient la féminité et le soin. Avec son visage insolent, elle dégageait une assurance écrasante. Elle nous regarda alternativement. Edward s'était tourné vers moi, il avait les yeux dans le vide. Il semblait comme ailleurs, un ailleurs tourmenté. Elle lui passa la main dans les cheveux, il ne réagit pas.

– Je suis arrivée à temps, dit-elle.

Elle avança ensuite vers moi.

– Qui que tu sois, il est temps de nous laisser en tête à tête.

Je ne me préoccupai pas d'elle et m'approchai d'Edward. J'essayai de lui attraper la main, il eut un mouvement de recul.

– Dis quelque chose. Qui est-ce ?

Il regarda en l'air et soupira.

– Mais enfin, je suis sa femme, m'annonça-t-elle en venant se pendre à son bras.

– Megan, intervint Edward brutalement.

– Pardon, mon amour, je sais.

– Qu'est-ce que c'est que… ces conneries ? m'énervai-je.

Pour la première fois depuis que la femme était arrivée, Edward me regarda dans les yeux. Il était froid, distant, ce n'était plus le même. Il était encore plus terrifiant qu'à mon arrivée à Mulranny. La douleur me fit reculer. À cet instant, mon regard dévia vers la cheminée, je vis la photo. Je compris. La femme sur la plage, ce n'était pas personne. Quelle imbécile j'avais été. Il m'avait eue en beauté. J'attrapai mon sac, mon blouson et quittai le cottage sans prendre la peine de fermer la porte ni de me retourner.

Je dus m'arrêter en chemin pour vomir. Chez moi, je me traînai sous la douche, je décapai ma peau pour enlever toute trace de ce sale type sur mon corps. J'avais été à deux doigts de coucher avec un homme marié. Je n'avais même pas eu l'idée de lui demander s'il avait quelqu'un. J'étais partie du principe que s'il cherchait ma compagnie, c'est qu'il était libre. En fait, je lui avais servi de bouche-trou. Que devait penser Colin d'où il était ? Il n'avait fallu que deux, trois sourires, un week-end romantique pour que je sois prête à écarter les cuisses. Je me dégoûtais.

Incapable de trouver le sommeil, je m'assis sous la fenêtre de ma chambre, dans le noir, je repliai mes genoux et me berçai d'avant en arrière. Je finis par m'endormir et cauchemardai toute la nuit. Les visages d'Edward et de Colin se confondaient dans mes songes, ils se liguaient contre moi.

Voilà trois jours que je n'étais pas sortie de chez moi. Je ne fermais plus l'œil et ruminais ces dernières semaines en compagnie d'Edward. Je voulais comprendre à quel moment j'avais buggé, à quel moment j'avais préféré fermer les yeux et les oreilles à l'information principale au sujet d'une Mme Edward.

Je m'étais forcée à aller faire des courses, et je venais de réussir à passer incognito à l'épicerie. Je fermais le coffre de ma voiture.

– Diane ?

Je reconnus la voix de Jack. Mes épaules s'affaissèrent, je me composai un sourire de façade et me retournai.

– Comment va notre petite Française ? Ça fait longtemps qu'on ne t'a pas vue.

– Bonjour Jack. Ça va, merci.

– Suis-moi chez nous, Abby sera ravie de te voir.

En effet. Lorsque j'arrivai chez eux, elle me sauta au cou. La chaleur qu'ils dégageaient apaisa ma colère. Je me sentis en confiance, je parlai de Clara.

– Tu envisages de rentrer un jour en France ? m'interrompit Abby.

– Je n'y ai pas encore pensé.

– Tu n'as pas envie de reprendre ta vie là-bas ?

– Vous avez besoin du cottage ?

– Non.

À d'autres. Ils mentaient. Ça y était, la Française dérangeait et devait laisser la place à la pétasse d'Edward. La porte d'entrée claqua. Je me figeai.

– Tu es toute pâle d'un coup. Tu ne te sens pas bien ? me demanda Abby.

– Un coup de mou, rien de grave, je vais rentrer.

– Demande à Edward de te raccompagner.

– Surtout pas, criai-je presque. Ça va aller.

Je me levai précipitamment et récupérai mes affaires.

– À bientôt, leur lançai-je avant de courir vers la porte.

Je croisai Edward dans l'entrée. Je fus incapable de le regarder. Il n'essaya pas de me parler. Je me barricadai dans ma voiture et m'écroulai sur mon volant. J'avais eu peur, peur de lui, peur de ma réaction.

J'étais plantée devant ma baie vitrée, j'observais Edward se balader avec son chien sur la plage. Je finirais bien par devoir l'affronter, j'avais besoin d'explications. Je voulais avoir la preuve que je n'avais pas rêvé.

Un tour par la case salle de bains était indispensable. Hors de question qu'il jubile en me voyant anéantie. Je mis un soin particulier à choisir mes vêtements et à me maquiller pour dissimuler mes nuits d'insomnie.

Impossible de reculer, je venais de frapper à sa porte et j'entendais Postman Pat aboyer. Le temps me sembla une éternité, j'avais les mains froides, des frissons, une boule dans le ventre. Tous ces symptômes disparurent quand Edward ouvrit la porte. Un sentiment de violence me submergea. J'avais envie de le frapper de toutes mes forces, mais ce qui me mettait le plus en rogne, c'était mon désir de l'embrasser et d'être dans ses bras. Je ne m'attendais pas à de telles émotions, mon beau discours répété devant le miroir s'envola.

– Qu'est-ce que tu veux ?

– Bonjour, bredouillai-je.

Il soupira, et passa une main sur son visage.

– Dépêche-toi, je n'ai pas que ça à faire.

Je me redressai, mis les épaules en arrière, et l'affrontai du regard.

– Tu me dois des explications.

Les traits de son visage reflétèrent la surprise, puis la colère.

– Je ne te dois rien du tout.

– Comment peux-tu te regarder dans une glace ?

Il me fusilla du regard et ma claqua la porte au nez. Une vieille habitude de sa part.

Malgré le ciel bas et les nuages menaçants, je décidai de m'aérer. J'arpentai la plage pendant plus d'une heure. En remontant vers mon cottage, je vis Postman Pat courir vers moi. Je le caressai avant de poursuivre mon chemin. Je ne devais pas rester là. Une voiture se gara devant chez Edward. Sa femme en sortit au moment où je passais. Je sentis son regard sur moi.

– Tu es encore là, toi ?

Je piquai du nez, et m'abstins de lui répondre.

– Je vais aller voir Abby et Jack, et faire en sorte que tu ne nous gênes plus.

En tâtonnant dans mes poches à la recherche de mes cigarettes, je rencontrai mes clés de voiture. C'était ce qu'il me fallait. Je ne fus pas assez rapide.

– Edward, appela-t-elle.

– J'arrive, lui répondit-il.

Je claquai ma portière, et démarrai en trombe.

Pendant plus de deux heures, je roulai pied au plancher. Je ralentis en revenant dans le village. Ma vitesse ne diminua pas assez pour ne pas remarquer cette Megan sortir de chez Abby et Jack. Elle était partout chez elle. J'avais cru que Mulranny me guérirait, finalement ce lieu deviendrait mon tombeau.

Judith aussi m'oubliait. Elle ne m'avait pas prévenue de sa venue. Et elle discutait depuis une heure avec Megan, sur la plage. Quand je la vis se diriger vers chez moi, j'attrapai à toute vitesse mon sac, mes clés, et sortis.

– Diane, appela-t-elle.

– Je n'ai pas le temps.

– Qu'est-ce qui t'arrive ?

– Ça ne te regarde pas.

– Attends, me dit-elle en m'attrapant par le bras.

– Lâche-moi.

Je me dégageai, montai dans ma voiture et partis.

J'arrivai à Mulranny après avoir sillonné les routes un bon bout de temps. Puisqu'ils étaient tous chez Abby et Jack, le pub allait être à moi. Je poussai la porte, bien décidée à me soûler. Je grimpai sur un tabouret et commandai le premier verre d'une longue liste. L'Irlande allait me rendre alcoolique.

Je passais du rire aux larmes. La tête posée sur le comptoir, je fixais l'enfilade de verres vides. Je voulus aller fumer, je tombai. Mais au lieu de rencontrer le sol, ce fut contre un torse que je m'écroulai.

– Merci, dis-je au type qui m'avait récupérée et que je n'avais jamais vu dans le coin.

– De rien. Je peux vous offrir une cigarette ?

– En voilà un qui est futé !

Je partis vers la terrasse en lui faisant signe de me suivre. Malgré le brouillard dans lequel j'étais, je savais qu'il me reluquait. Qu'il se fasse plaisir, je m'en fichais, je n'étais plus à ça près. Je me mis en mode « blonde écervelée ». Je riais comme une bécasse aux blagues qu'il me racontait et auxquelles je ne comprenais rien. Il ne perdit pas de temps. Il m'attrapa par la taille pour me ramener au comptoir. Il lorgnait dans mon décolleté. Je lui jetai un coup d'œil, il était pas mal. Après tout, un Irlandais en valait un autre. Il pouvait faire l'affaire pour exorciser Edward. Je lui lançai un regard de biche et lui proposai de prendre un verre avec moi. Il s'empressa d'accepter.

– Vous nous remettez une tournée ? bafouillai-je au barman.

– Diane, il faut arrêter maintenant.

– Non, servez-moi, je vous paye. Et j'ai bien le droit de m'amuser !

Je lançai des pièces sur le bar. Un nouveau verre arriva, je le vidai d'un trait, et ce fut le trou noir.

J'étais dans le cosmos, je percevais des éclats de voix autour de moi.

– Ne t'approche pas d'elle !

Ce timbre, je l'aurais reconnu entre mille. Edward. Sur qui criait-il comme ça ? J'ouvris les yeux, et le vis empoigner un type par le col. Il me disait vaguement quelque chose.

– Attends mec, c'est elle qui m'a allumé, informa-t-il en me pointant du doigt.

Le poing d'Edward partit d'un coup, le type finit par terre et ne demanda pas son reste, il déguerpit à la vitesse de la lumière.

– Oh… qu'est-ce que j'ai fait ? dis-je.

– C'est ce que tu as failli faire qui est intéressant, répondit Judith, que je n'avais pas encore remarquée.

– Ta gueule.

Sur ces bonnes paroles, j'essayais de tourner les talons, mais ce fut ma tête qui tourna, car le sol tanguait dangereusement.

– Frérot, elle se fait la malle, lança Judith à Edward. Attends, Diane, on te ramène.

– Foutez-moi la paix, je peux rentrer toute seule. Et ne vous mêlez pas de mes affaires !

Je m'arrêtai. C'était maintenant ou jamais si je voulais lui faire comprendre ma façon de penser. Je tentai de fixer mon regard, j'avais, non pas un Edward en face de moi, mais deux.

– Écoute-moi bien, lui criai-je dessus. Tu n'as pas à intervenir dans ma vie. Tu en as perdu le droit l'autre soir. Je peux m'envoyer en…

– Tais-toi, m'ordonna-t-il. Tu as fait assez de bêtises comme ça.

Avant que j'aie le temps de lui répondre, il me souleva et me chargea sur son épaule comme un sac. Je donnais des coups de poing dans son dos et je me débattais.

– Lâche-moi, connard.

Il resserra sa prise, et avança sur le parking. Il ne dégoisa pas un mot et me déposa à l'intérieur de sa voiture. Je sombrai dans le sommeil.

Je repris conscience dans mon lit. Quelqu'un m'avait déshabillée.

– Tu en tiens une sévère, me dit Judith.

– Fous-moi la paix.

– Oh que non.

Elle remonta la couette sur moi avant de partir.

Quelques minutes plus tard, des pas résonnèrent à nouveau, j'ouvris les yeux. Edward déposa un verre d'eau sur ma table de nuit, et passa une main sur mon front.

– Ne me touche pas.

J'essayai de me relever.

– Reste couchée.

Edward me poussa légèrement. J'étais incapable de lutter contre lui.

– C'est ta faute tout ça, lui dis-je en pleurant. Tu n'es qu'un salaud.

– Je sais.

Je me cachai sous la couette. Je l'entendis dévaler les marches. Puis la porte d'entrée claqua.

Je souffrais des pieds à la tête. Chaque pas résonnait dans mon crâne. En arrivant dans la salle de bains, je dus prendre appui au lavabo. Je fus horrifiée par mon reflet. J'étais bouffie, mon mascara avait coulé sous mes yeux, mes cheveux ressemblaient à un nid de corbeaux. J'avais tellement honte de moi que je n'osais pas regarder mon alliance, encore moins la toucher. Je me brossai les dents à plusieurs reprises pour tenter de retirer le goût d'alcool incrusté dans ma bouche. C'était décidé, j'arrêtais de boire.

Judith était assise dans mon canapé, elle feuilletait un magazine.

– Qu'est-ce que tu fais encore là ?

– Pourquoi montes-tu comme ça dans les tours ?

– Vous avez gagné ! Je vais me barrer de votre bled de merde. Vous êtes tous cinglés.

– De quoi parles-tu ?

– Vous vous foutez bien de moi depuis que je suis arrivée.

– Quoi ? On était tous inquiets pour toi, hier soir.

– Tu parles.

Je levai les yeux au ciel. Judith partit dans la cuisine, je m'avachis dans un fauteuil.

Elle revint cinq minutes plus tard avec un plateau dans les mains.

– Tu manges, et on parle après.

J'avalai mon petit déjeuner en pleurant. Je vidai ma tasse de café, Judith m'en resservit une. Puis elle alluma une cigarette, qu'elle me tendit.

– Pourquoi ne m'as-tu pas prévenue que tu venais ici ? lui demandai-je.

– Ce n'est quand même pas pour ça que tu t'es mise minable hier soir ?

– Tu as été la goutte d'eau. Enfin, d'eau,

façon de parler. Il me semble que je n'en ai pas beaucoup bu, hein ? J'étais minable à ce point ?

– Crois-moi, tu préfères ne pas savoir.

Elle arqua un sourcil, je me pris la tête entre les mains.

– Explique-moi ce qui se passe. Depuis que je suis arrivée, je nage en plein cauchemar. La salope qui est de retour, Edward qui cogne sur le premier mec qui t'approche, et toi qui joues la chienne en chaleur au pub.

Je me tenais toujours la tête entre les mains, j'écartai mes doigts pour la regarder.

– C'est qui la salope ?

– Megan. Qui veux-tu que ce soit d'autre ?

– Tu traites la femme de ton frère de salope ?

– Où es-tu allée pêcher que c'était sa femme ? Si mon frère était marié, je le saurais !

– Pourtant, elle s'est présentée comme telle, et il n'a pas démenti.

– Quel con. Attends… il y a un truc que je ne comprends pas, tu étais là quand elle a débarqué chez lui en pleine nuit ?

– Oui, lui répondis-je en baissant les yeux.

– Tu as couché avec lui ?

– On n'a pas eu le temps.

– Merde ! Cette garce a un radar. Et Edward n'a pas de couilles.

Elle se leva et se mit à faire les cent pas. Elle me donnait le tournis. J'allumai une nouvelle cigarette et allai regarder par la fenêtre. Je vis Edward au loin sur la plage. J'appuyai mon front sur la vitre froide.

– Diane.

– Quoi ?

– Tu l'aimes ?

– Je crois… il y a un truc qui me pousse vers lui. Quand on était tous les deux, j'étais bien… mais, ça ne change rien, même s'ils ne sont pas mariés, ils sont ensemble.

– Non, tu te trompes.

Judith s'écroula dans le canapé, s'alluma une cigarette et m'observa en plissant les yeux.

– S'il apprend que je t'ai raconté ça, il me tue. Mais, je m'en fous. Assieds-toi.

Je lui obéis.

– Tu sais, son caractère de chien n'est pas dû qu'à la mort de nos parents. La relation qu'il a eue avec Megan lui a foutu sa vie en l'air. C'est bien pour ça que j'ai débarqué comme une furie, après l'appel affolé d'Abby.

– Mais qu'est-ce que c'est que cette nana ?

– Une arriviste. Une tueuse. Une garce. Elle a toujours voulu réussir dans la vie et avoir une position sociale. Par tous les moyens et en utilisant tout le monde. Elle est partie de rien, elle s'est faite toute seule, elle a bossé comme une malade pour en arriver où elle en est. Elle est chasseuse de têtes dans le plus gros cabinet de recrutement de Dublin. Elle renierait père et mère sans aucun problème pour parvenir à ses fins. Elle est sans pitié, intelligente, vicieuse, et surtout manipulatrice.

– Et c'est le genre de femme qu'il aime ? ricanai-je.

– Je n'en sais rien, mais c'est la seule relation de couple qu'il ait eue.

– Cette femme serait l'amour de sa vie ?

– En quelque sorte.

J'ouvris les yeux en grand tout en contenant un haut-le-cœur.

– Ce qu'il faut que tu saches, c'est qu'avant de la rencontrer, Edward ne voulait pas s'engager. Il a toujours pensé que les relations de couple étaient vouées à l'échec. Pour lui, tu aimes et ensuite tu souffres parce que tu seras trahi et abandonné. Alors il a toujours enchaîné les aventures sans lendemain, jusqu'au jour où il a croisé son chemin. Au début, il la voulait comme trophée de chasse. Elle l'a fait mariner. C'est une vraie mante religieuse. Elle l'a serré de tous les côtés avant de céder à ses avances.

Edward a été séduit par sa détermination, son assurance et sa rage. Et puis après, elle a enfoncé le couteau en l'abreuvant de belles paroles, elle a joué la sainte-nitouche, qui veut fonder une famille, qui croit à l'amour…

Je bouillonnai, j'avais des envies de meurtre. Comment avait-il pu se faire avoir par une salope pareille ?

– Et toi, tu ne la croyais pas ?

– J'ai commencé à mener ma petite enquête sur elle. Je ne la sentais pas. Trop mondaine, trop mielleuse pour être honnête. J'ai appris qu'en fait elle connaissait Edward de vue et qu'elle le voulait. Son image d'artiste sombre et torturé allait lui servir. Pour elle, c'était le moyen d'adoucir sa réputation de requin. J'ai tout balancé à Edward et j'ai failli le perdre. On ne s'est pas adressé la parole pendant des mois.

– Comment ça s'est fini entre eux ? explosai-je.

– Tout doux Diane… Sacrée histoire… À cette époque, Edward traversait une période de doute dans son boulot. Il bossait pour un magazine, mais il voulait se mettre à son compte. Megan était farouchement opposée à son projet. J'ai toujours pensé qu'elle avait peur que son train de vie diminue. Enfin, bref. Mon frère a toujours été ce qu'il est, mais là, forcément ça atteignait des sommets. Il était frustré, il piquait des colères effrayantes. Il ne faisait pas bon être dans la même pièce quand ils s'engueulaient. Il avait pourtant besoin d'elle et de son soutien. Mais voilà, à se comporter comme un trou du cul, il l'a poussée à la faute. Tu me diras, il ne lui fallait pas grand-chose.

Je serrai mes poings pour contenir la colère et la rage qui montaient. J'étais au bord de l'éruption volcanique.

– Tu peux développer ? sifflai-je entre mes dents.

– Edward était parti en reportage. Quand il est revenu, il l'a trouvée dans leur plumard avec un de ses collègues.

– Quelle horreur ! hurlai-je en me levant d'un bond.

– Il a pété la gueule du mec. Celui-là, il ne doit la vie qu'aux supplications de Megan. Après, Edward a chargé toutes ses affaires dans sa bagnole. Elle l'a supplié de rester, elle lui a promis que ça ne se reproduirait plus, qu'ils pouvaient surmonter ça ensemble, qu'elle l'aimait plus que tout. Tu te doutes bien qu'il n'a rien voulu entendre.

J'étais comme un lion en cage, je tournai en rond sans quitter Judith du regard.

– Un peu normal, non ?

– Il avait prévu de la demander en mariage dès que ses problèmes de boulot seraient réglés. Tu peux imaginer sa descente aux enfers.

– Comment s'en est-il sorti ?

– Ben, comme tu le vois. Il est passé dans un refuge prendre son clébard. Il a taillé la route jusqu'aux îles d'Aran. Il a disparu de la surface de la terre pendant plus de deux mois. Personne ne savait où il était. J'avais même commencé à réfléchir à un avis de recherche. Et puis un jour, il a débarqué ici pour réclamer à Abby et Jack les clés de la maison de nos parents. Et il s'y est installé. À partir de là, il a décidé que plus aucune femme ne le ferait souffrir et qu'il resterait seul.

– Pourquoi Megan est-elle là ? Qu'est-ce qu'elle veut ?

– Lui. À sa façon, elle l'aime.

Les épaules m'en tombaient.

– Elle ne l'a jamais oublié, reprit Judith en voyant mon expression d'incrédulité. Ça fait cinq ans qu'elle fait tout pour le récupérer. Elle est même venue pleurer dans mes pattes. Megan reste la seule femme qu'il ait aimée. Malgré tout ce qu'elle lui a fait, je sais bien qu'ils se voient de temps en temps quand il vient à Dublin pour le boulot. À croire qu'elle le traque ! Elle sait toujours où le trouver. Et comme par hasard, quand ils se rencontrent, Edward ne passe jamais la nuit chez moi. C'est comme un drogué qui rechute après une cure.

– Elle le tient, quoi qu'elle fasse, crachai-je.

– Je dirais plutôt qu'elle le tenait. Parce que tu es arrivée et tu l'as changé. Je ne sais pas comment tu as fait. Tu dois avoir un secret. Tu lui sortais par les trous de nez à Noël, et il t'a emmenée dans son refuge. Les îles d'Aran sont comme une terre sacrée pour lui.

– Ça me fait une belle jambe !

Je n'arrivais pas à rester en place. J'attrapai mon paquet de cigarettes et en allumai une. Je pris une profonde bouffée pour tenter de me calmer.

– Je suis inquiète pour lui, déclara Judith. Au moment même où il était prêt à se laisser aller avec toi, à tenter quelque chose, Megan débarque, lui jure par tous les saints qu'il n'y a que lui dans sa vie et qu'elle est prête à venir vivre ici. Il va devenir dingue.

– Il n'a pas essayé de me retenir quand elle est arrivée, et il m'a envoyée paître quand je suis allée lui demander des explications. Pour moi, c'est très simple, son choix est fait. Elle vit chez lui, non ?

– Non, il l'a envoyée à l'hôtel. J'ai vu sa réaction cette nuit, il était fou d'inquiétude quand le patron du pub lui a téléphoné. Et après, quand il t'a vue avec l'autre type… franchement, il m'a fait peur.

– Admettons que je te croie, je fais quoi maintenant ?

– Mais tout ! Tu dois tout faire. Tu le veux, oui ou non ?

Je me tournai vers la baie vitrée pour chercher Edward du regard. Il était toujours sur la plage, plus seul et plus beau que jamais.

– Bien sûr.

– Alors bouge-toi ! Séduis-le, va remuer tes fesses sous son nez, fais-lui comprendre que c'est toi la femme de sa vie, et pas cette garce. Sors les crocs, et le reste. Ça ne va pas être une bataille à la loyale, entre elle et toi, tous les coups seront permis. Il va falloir t'armer de courage pour briser sa carapace. Et sache qu'il peut aussi bien vous envoyer bouler toutes les deux et disparaître dans la nature.

– 9 –

Judith venait de partir. Elle m'avait fait jurer sur la Bible de passer au plus vite à l'attaque. Sauf qu'avant de me jeter dans la bataille, je devais impérativement me remettre de ma gueule de bois. Alors que je m'apprêtais à me coucher comme les poules, on frappa à ma porte. Cette maudite journée n'allait donc jamais finir. J'étais tellement sur les nerfs que je faillis éclater de rire en découvrant la fameuse Megan devant moi. Aucun répit. Elle me regarda des pieds à la tête, et j'en profitai pour l'inspecter. C'était la première fois que je la voyais de si près. Elle était d'une beauté froide, la tête haute, le regard fier et affûté. N'importe quelle femme à côté passait pour une gamine à la sortie du lycée. C'était la femme d'affaires sexy en week-end, avec son jean de luxe, ses escarpins vertigineux sans aucune tache de boue et ses ongles manucurés. Autant le reconnaître, mon look lendemain de fête ne jouait pas en ma faveur.

– Diana, c'est ça ?

– Non, Diane. Qu'est-ce que tu veux ?

– Il paraît qu'Edward a volé à ton secours, la nuit dernière ?

– Qu'est-ce que ça peut te faire ?

– Ne lui tourne pas autour. Il est à moi.

Je lui ris au nez.

– Tu peux rire, je m'en moque. Ne perds pas ton temps. Tu n'es pas son genre. Franchement, regarde-toi.

Elle affichait une mine dégoûtée.

– Tu n'as rien trouvé de mieux ? lui demandai-je. Parce que si tu crois que je vais te laisser la place, tu peux toujours courir.

Elle eut un sourire mauvais.

– Tu l'as apitoyé sur ton sort, c'est ça ? questionna-t-elle.

J'eus la respiration coupée, mes jambes se mirent à flageoler, des larmes embuèrent mes yeux, je m'accrochai au chambranle de la porte.

– Pauvre petite chose, ajouta Megan.

J'entendis vaguement le bruit d'un moteur. Elle ricana.

– Parfait, voilà Edward. Il va te voir sous ton meilleur jour.

Il sortit de la voiture et vint nous rejoindre aussitôt.

– Que fais-tu ici ? demanda-t-il à Megan.

Je gardai volontairement la tête baissée.

– J'ai appris le malheur qui frappait Diane, je suis venue lui présenter mes condoléances pour son mari et sa fille.

Elle transpirait de sincérité.

– Tu as fini ?

Le ton de sa voix fut tellement cassant que je levai la tête, il la fusillait du regard. Elle affichait désormais un visage débordant de sollicitude. Elle se tourna vers moi, posa une main sur mon bras.

– Je suis désolée, je ne voulais pas remuer le couteau dans la plaie. N'hésite pas, si tu as besoin de nous. Et puis, dès que tu te sentiras mieux, nous irons prendre un verre entre filles. Ça te fera du bien…

– C'est bon Megan, la coupa Edward. On a compris. Prends les clés et va à la maison.

Elle me fit une bise. Le baiser de Judas. Elle tourna les talons, mais se ravisa très vite.

– Edward, tu viens ?

– Non, je dois parler avec Diane.

Elle encaissa en souriant. Mon moral se regonfla d'un coup. Elle s'approcha de lui.

– Prends ton temps, je vais nous préparer un petit dîner en amoureux.

Elle se hissa sur la pointe des pieds et l'embrassa à la commissure des lèvres. Je vis la main d'Edward se poser sur sa taille. Comme un ballon de baudruche percé, je me dégonflai à nouveau. Megan me fit un clin d'œil et partit vers chez Edward. Je savais que je le regardais avec des yeux de merlan frit, mais je n'y pouvais rien. Il se passa la main dans les cheveux, il me fuyait du regard. Visiblement, il se demandait pourquoi il était resté avec moi. J'allais lui faciliter les choses.

– Ne la fais pas attendre.

– Qu'est-ce qui t'a pris, l'autre soir ?

– Il fallait que je noie mes regrets.

Nous nous regardâmes droit dans les yeux un long moment.

– Qu'attends-tu de moi ? finit-il par me demander.

– Que tu prennes ta vie en main, et… certaines décisions.

Il s'alluma une cigarette et me tourna le dos.

– C'est compliqué. Je ne peux pas te répondre, pas maintenant.

Il s'éloigna, sans un mot de plus.

– Edward.

Il s'arrêta.

– Ne m'exclus pas de ta vie.

– Même si je le voulais, ce serait impossible.

Là-dessus, il se dirigea vers chez lui. Megan devait nous surveiller, elle sortit quand il arriva sur le perron. Elle l'attira à elle et l'entraîna à l'intérieur. La guerre avait commencé, et Megan avait déjà un sacré avantage. Elle le connaissait parfaitement, elle savait que lui dire et quand. Ils avaient un passé commun qu'elle pouvait utiliser comme une arme. Moi, avec lui, je marchais toujours sur des œufs. À part des querelles de voisinage plus ou moins violentes et une trêve de quelques semaines, au final qu'avions-nous partagé avec Edward ? Je m'endormis sur cette question.

Ça ne voulait rien dire, mais Megan n'avait pas passé la nuit chez lui. Elle venait d'arriver. Edward était depuis un bon moment sur la plage, armé de son appareil photo. Je ris toute seule en regardant Megan essayer d'avancer dans le sable chaussée de ses stilettos. Je crus faire pipi dans ma culotte quand Postman Pat lui sauta dessus. Ce chien extraterrestre était définitivement mon meilleur ami. Il s'était baigné et roulé dans le sable peu de temps avant, et le magnifique manteau en cachemire de Megan venait d'en faire les frais. D'un seul coup, la lumière fut. Je savais ce que je partageais avec Edward, et Megan était incapable de rivaliser avec moi sur ce terrain.

Mon bonnet et mon écharpe, en pure laine de mouton évidemment, seraient mon atout séduction. Incroyable. Je marchais vers la plage, le cœur léger et déterminée à montrer à cette dinde qu'elle ne m'avait pas écartée. Elle ne me remarqua pas, juste derrière elle. Elle parlait toute seule : « Pas moyen de moisir dans ce trou. Je vais le rapatrier à Dublin vite fait bien fait. Et il piquera son chien pourri par la même occasion. »

Ah la saleté !

– Salut Megan ! dis-je en passant devant elle.

Je sifflai. Postman Pat accourut vers moi. Il me sauta dessus, je restai debout et le caressai. Il jappa dans tous les sens quand il me vit attraper un bâton. Je le lui lançai, fis un clin d'œil à ma rivale et continuai sur la plage. Edward me remarqua de loin. Je lui fis un signe de la main et continuai à jouer avec le chien. Il savait que j'étais là, ça suffisait. Subtilement, je m'approchai de lui, mais sans le regarder, toujours en me concentrant sur le chien.

– Diane, l'entendis-je m'appeler.

Je dissimulai non sans mal mon sourire. Avant que je n'aie le temps de me retourner vers lui, Postman Pat me fonça dessus. Normal, j'avais le bâton dans la main. Je m'écroulai dans le sable. Je fus secouée par un fou rire totalement incontrôlable. C'était exactement ce que je voulais. Et mon acolyte y mit du sien en venant me lécher le visage. On m'enleva le bâton des mains, et Postman Pat déguerpit. J'ouvris les yeux. Edward était au-dessus de moi, une jambe de chaque côté de mon corps. Je remarquai ses traits tirés, ses yeux cernés. Mais il me souriait.

– Si tu voyais dans quel état tu es !

– Si tu savais comme je m'en moque !

Il me tendit les mains, je les attrapai, et il m'aida à me relever. On resta liés quelques instants. Puis, avec son pouce, il ôta un peu de sable de sur ma joue. Je retrouvai sur son visage les marques de tendresse qu'il avait eues pour moi ces derniers temps. C'était l'occasion.

– Tu marches un peu avec moi ? lui proposai-je.

Sa main, toujours sur ma joue, retomba et il jeta un coup d'œil en direction de la mer, puis se retourna vers moi.

– J'allais rentrer, j'ai des tirages à faire.

La récréation était finie. Il alla récupérer son matériel photo. Je soupirai. Mais quelle ne fut pas ma surprise de le voir de nouveau s'approcher de moi.

– Tu es toujours intéressée par les photos des îles d'Aran ?

– Bien sûr.

– Viens avec moi alors, je vais te les donner.

Nous remontâmes toute la plage, en silence. Durant quelques instants, j'oubliai presque Megan. Elle nous attendait, appuyée contre sa voiture.

– Que fais-tu là ? lui demanda Edward brutalement. Tu détestes la plage jusqu'à preuve du contraire.

– Je voudrais te voir, il faut que je te parle de mes projets.

– Je n'ai pas le temps, là, j'ai du boulot.

– Je peux attendre.

Edward poursuivit son chemin, je le suivis, et Megan me suivit. En quelle langue fallait-il lui parler pour qu'elle comprenne qu'elle dérangeait ? Il ouvrit sa porte et pénétra chez lui. Je restai sur le seuil. Megan me bouscula sans qu'il s'en rende compte et le suivit dans l'entrée.

– Je t'ai dit pas maintenant, lui répéta-t-il en la voyant.

– Mais elle, qu'est-ce qu'elle fait là ?

– Edward a des photos à me donner, c'est tout. Après, je le laisse tranquille.

Il partit vers l'étage. J'allumai une cigarette. Megan ne bougeait pas d'un pouce. Un vrai chien de garde, version molosse en escarpins. Deux minutes plus tard, Edward dévala les escaliers, une grande enveloppe à la main. Il me la tendit sans un mot.

– Merci, lui dis-je. À plus tard.

– Quand tu veux.

Je lui souris une dernière fois avant de me diriger vers chez moi. J'entendis les supplications de Megan pour rester avec lui. Mais il l'envoya promener.

J'arrivai devant ma porte.

– Attends un peu, toi ! entendis-je Megan me dire.

Après tout, je méritais bien de savourer ma victoire du jour. Je me retournai et lui fis mon sourire le plus hypocrite. La colère l'enlaidissait.

– C'est quoi ces photos ?

– Oh ça ? demandai-je en lui brandissant l'enveloppe sous le nez.

– Ne joue pas à ça !

– Ce sont des photos qu'Edward a prises de moi et de nous, sur les îles d'Aran.

– Tu mens !

– Tu ne me crois pas ? Pourtant c'est la stricte vérité. D'ailleurs, le B&B est charmant, les lits confortables, un endroit rêvé pour les amoureux.

– Donne-moi ça !

Elle m'arracha l'enveloppe des mains. Toute mécréante que j'étais, je priai le bon Dieu de ne pas avoir exagéré. En voyant les traits de Megan se déformer sous l'effet de la rage et de la jalousie cumulées, je promis intérieurement d'allumer un cierge dans la première église que je trouverais. Abby m'aiderait.

– Ce n'est pas possible, répéta-t-elle à plusieurs reprises.

– Et si.

Si ses yeux avaient été des mitraillettes, j'aurais été criblée de balles. Elle me balança les photos à la figure et partit vers sa voiture.

– Tu me le paieras !

Je jetai un coup d'œil au premier cliché. À sa place, j'aurais piqué une crise d'hystérie.

Toute chamboulée, je ne pris pas la peine de lui répondre et rentrai chez moi pour décortiquer les photos.

Le lendemain soir, je décidai d'aller au pub avec l'espoir d'y croiser Edward. Le patron me fit un grand sourire. Je grimpai sur un tabouret.

– Désolée pour la dernière fois.

– Pas de soucis, ça arrive à tout le monde, me répondit-il en me servant une pinte. C'est la maison qui offre.

– Merci.

Il jeta un coup d'œil vers l'entrée, leva les yeux au ciel et se retourna vers moi.

– Bon courage.

– Pardon ?

– Bonsoir Diane, me dit Megan.

Elle se hissa gracieusement à côté de moi et commanda un verre de vin blanc. Si Edward débarquait, je ne tiendrais pas la comparaison. Force était de constater qu'aucun homme ne pourrait lui résister. Elle était magnifique, avec sa robe noire qui n'était ni vulgaire, ni aguichante. Juste sexy, classe, dévoilant ce qu'il fallait de peau pour donner envie d'en découvrir plus.

– J'ai un marché à te proposer, me dit-elle au bout de quelques secondes.

Je me tournai vers elle, plus que méfiante.

– Je suis prête à reconnaître qu'il y a un truc entre vous, commença-t-elle. Tu es une compétitrice dans l'âme, je ne peux qu'être admirative.

Première nouvelle.

– Où veux-tu en venir ?

– Edward est à moi quoi que tu fasses, mais il t'a en tête, et je dois faire avec. Alors je te propose de m'éclipser quelques jours, tu lui fais un numéro de charme, vous couchez ensemble. De cette façon, il pourra passer à autre chose… et enfin revenir à moi.

– Je crois qu'il faut que tu te fasses soigner.

– Ne fais pas ta prude. Quelque chose me dit que tu n'as pas eu d'homme dans ton lit depuis la mort de ton mari.

J'avais envie de vomir.

– Tu sais, renouer avec les joies du sexe avec Edward est une très bonne entrée en matière. Je te rends service en réalité.

Ça devenait franchement glauque. Je ne pouvais plus aligner deux mots.

– Tu refuses ? Tant pis pour toi.

Elle me jeta un dernier coup d'œil avant de

sortir son téléphone de son sac et de composer un numéro.

– Edward, c'est moi, minauda-t-elle. Je suis au pub... Je pensais à toi. On se voit ce soir ?... Il faut qu'on parle...

Sa voix changeait au fur et à mesure de leur conversation, elle devenait plus douce, plus enveloppante. Elle jouait avec une miette imaginaire du bout des doigts.

– Je suis désolée pour hier, je sais que tu as besoin d'être seul pour bosser.

Je n'entendais pas les réponses d'Edward, mais je les devinais, aux propos que tenait Megan.

– Et puis, je n'aurais pas dû te reprocher de passer du temps avec Diane, poursuivit-elle. Tu es un homme bien, tu l'aides à remonter la pente. C'était très malvenu de ma part après ce que je t'ai fait.

Je devenais folle. Edward ne pouvait pas gober un truc pareil.

– Mais c'est si dur de te voir avec une autre femme, pleurnicha-t-elle. Je me rends compte du mal que je t'ai fait. Je voudrais qu'on se retrouve... comme avant...

C'en était risible. Ça ne pouvait pas marcher. Impossible. Edward ne tomberait pas dans un piège aussi grossier. Il ne retomberait pas dans les griffes de cette tigresse qui se faisait passer pour une chatte inoffensive.

– Je t'en supplie, susurra-t-elle. Dis oui. Juste pour ce soir, s'il te plaît. On parlera de mon installation ici…

Un sourire mauvais passa sur son visage.

– Merci… soupira-t-elle, au bord de l'agonie. Je t'attends.

Quel crétin ! Cette garce raccrocha, sortit un miroir de son sac et vérifia son maquillage. Elle rangea le tout et se tourna vers moi.

– Edward ne changera jamais, je sais très bien ce qu'il a envie d'entendre.

– Tu es odieuse, comment peux-tu parler de lui de cette façon ? Et tous tes mensonges ?

Elle balaya ma remarque d'un revers de la main.

– Un conseil : ne passe pas ta soirée à l'attendre.

Elle éclata de rire.

– Ma pauvre Diane, je t'avais prévenue !

Je partis en direction de la terrasse. Je tirai sur ma clope comme une forcenée.

En revenant dans le pub, je découvris qu'Edward était arrivé. Megan et lui étaient prêts à partir. Elle passa un bras autour de sa taille, il se laissa faire, je serrai les poings. Elle me remarqua la première.

– Ce n'est pas Diane là-bas ? lui demanda-t-elle.

– Si, lui répondit-il en me regardant.

Elle l'entraîna vers moi. Lui et moi ne nous quittions pas des yeux.

– Bonsoir, me dit Megan. Quel dommage, je ne savais pas que tu étais là, on aurait pu prendre un verre ensemble et faire vraiment connaissance.

Elle m'adressa un sourire empreint d'une grande gentillesse. Edward l'observait avec un regard que je ne lui connaissais pas. Sidérée par les talents de comédienne de Megan, je la laissai enchaîner sans avoir le temps de la remettre à sa place.

– Nous devons te laisser, j'ai réservé une table. On remet ça très vite ?

Totalement désarçonnée, je hochai la tête bêtement.

– Va m'attendre dans la voiture, lui dit Edward.

Elle déposa un baiser sur sa joue puis me dit « à bientôt ». Je la suivis du regard. Edward aussi. Elle s'arrêta à la porte, se retourna et nous fit un signe de la main.

– Tu vas vraiment passer la soirée avec elle ?
– On a besoin de se parler.
– N'oublie pas ce qu'elle t'a fait.

Le regard d'Edward se durcit.

– Tu ne la connais pas.
– Ne la laisse pas te faire de mal.
– Elle a changé.

Il s'apprêta à tourner les talons, je le retins par son caban.

– En es-tu vraiment certain ?
– Bonne soirée.

Je le lâchai, il me regarda une dernière fois et fit demi-tour.

Il ne rentra pas tard chez lui. Je compris qu'il s'enfermait dans sa chambre noire lorsque je vis la lumière rouge filtrer à travers les volets. Megan avait dû échouer.

Mon moral s'effondra le lendemain matin, ils étaient tous les deux sur la plage. Je les observais, cachée derrière les rideaux de ma chambre. Elle se collait à lui, lui souriait en battant des cils, j'en étais sûre. Pourtant, il gardait une certaine distance avec elle. Ils remontèrent en direction des cottages, il la raccompagna à sa voiture. Ils étaient l'un en face de l'autre. Je distinguais le visage fermé d'Edward, elle posa ses mains sur son torse. Il secoua la tête et se recula. Megan se hissa sur ses talons pour l'embrasser sur la joue. Elle monta dans sa voiture et partit. Il s'alluma une cigarette avant de s'enfermer chez lui.

Quelques heures plus tard, on frappait à ma porte. J'ouvris et découvris Edward.

– Je peux entrer ?

Je me décalai, il pénétra dans le séjour. Il semblait nerveux, il tournait en rond.

– Tu as quelque chose à me dire ?

– Je pars.

– Comment ça, tu pars ?

Il se tourna et s'approcha de moi.

– Je m'en vais juste quelques jours. J'ai besoin de prendre du recul.

– Je comprends. Et Megan, que fait-elle ?

– Elle reste à l'hôtel.

Je caressai sa joue rongée par sa barbe, je passai un doigt sur ses cernes. La fatigue le marquait de plus en plus. Il était à bout.

– Fais attention à toi.

Il ne me quittait pas des yeux. Sans que je m'y attende, il me prit dans ses bras, me serra contre lui et blottit sa tête dans mon cou. Je me cramponnai à lui et ne pus retenir quelques larmes. Il redressa le visage, m'embrassa sur la tempe, me lâcha, et partit sans un mot.

Rapidement après son départ, la mélancolie me gagna. J'errai comme une âme en peine dans mon cottage.

Les jours se suivaient et se ressemblaient, la tension était retombée. Je ne sortais pas de chez moi. Je ne voulais pas croiser Megan et repartir dans cette bataille puérile. Pas étonnant qu'Edward ait fui. Il ne donnait pas signe de vie, mais je n'en étais pas surprise. Je passais des heures, assise dans un fauteuil, face à la baie de Mulranny. Je remontais le fil du temps, la mort de Colin et Clara, mon arrivée en Irlande, ma rencontre avec Edward.

Un après-midi, mon téléphone sonna. Félix. J'hésitai quelques instants avant de lui répondre.

– Salut.

– Toujours pas noyée dans la bière ?

– Qu'est-ce que tu es bête, parfois. Quoi de neuf, à Paris ?

– Oh, rien de particulier. Et toi ?

– Rien non plus.

– Tu as une drôle de voix. Ça ne va pas ?

– Si, si, tout va bien.

– Que fais-tu, en ce moment ?

– Je pense à mon avenir.

– Et ?

– Je suis paumée, mais j'espère trouver mes réponses d'ici peu.

– Tiens-moi au courant

– Promis. Bon, je te laisse.

Je raccrochai et j'allumai une cigarette.

Une semaine qu'Edward était parti. Une semaine que je retournais la situation dans tous les sens, que j'envisageais tous les scénarios. Lorsqu'on frappa à ma porte en fin d'après-midi, je sus que c'était le moment de vérité.

Edward se tenait sur le seuil, sérieux. Il plongea ses yeux dans les miens, j'eus peur. Mon cœur s'emballa. Sans dire un mot, il entra et alla se poster devant la baie vitrée. Je le suivis et restai à quelques pas de lui. Il se passa la main sur le visage, et soupira profondément.

– Quand Megan est arrivée, j'ai été dépassé par les événements. J'ai eu peur de ce qui me tombait dessus. Pourtant, j'avais déjà toutes mes réponses, et depuis longtemps. Si j'avais été honnête avec moi-même dès le début, j'aurais évité tout ce cirque.

– Qu'essayes-tu de me dire ? lui demandai-je, la voix chevrotante.

– J'ai demandé à Megan de partir, de rentrer chez elle, à Dublin.

– Tu es sûr de toi ?

– Elle est sortie de ma vie, une bonne fois pour toutes. C'est terminé. Maintenant, on est tous les deux, rien que tous les deux.

Je restai sans voix. Je le regardai, il n'avait jamais été aussi serein, aussi détendu qu'à cet instant. Il me sourit, s'approcha de moi, me prit par la taille. Je m'agrippai à sa chemise pour ne pas m'écrouler. Je fuis l'intensité de son regard. Il posa son front contre le mien.

– Diane… je veux construire quelque chose avec toi… je t'…

Je posai mes doigts sur sa bouche. Le silence envahit la pièce, j'aurais pu entendre mon cœur battre. J'observai mes mains posées à plat sur son torse, je sentais son souffle sur ma peau. Je me détachai doucement de son étreinte. Je reculai et m'effondrai dans le canapé. Il me suivit, s'assit sur la table basse en face de moi et attrapa mes mains.

– On va tout reprendre à zéro, me dit-il. Ne panique pas.

Je le regardai dans les yeux. La tendresse et l'amour que j'y lus me bouleversèrent. Je ne pouvais pas rester plus longtemps sans rien dire.

– Écoute-moi, tu veux bien ?

Il me sourit, je serrai ses mains. Je respirai profondément avant de me lancer.

– Je ne pensais pas que ce serait si dur... pendant ton absence, j'ai beaucoup réfléchi à tout ce qui nous est arrivé depuis que je suis ici. Tu es entré dans ma vie, et j'ai eu à nouveau envie de me battre, de rire, et de vivre... Tu es devenu si important pour moi, presque essentiel... j'y ai cru... j'y ai tellement cru, mais... en fait, je me suis bercée dans l'illusion que tu allais combler tout le vide à l'intérieur de moi et... que... je pouvais à nouveau aimer...

L'émotion me submergea. Je ne fis aucun effort pour combattre les larmes. Mes mains tremblaient, je serrai plus fort les siennes. Son regard trahissait le mal que j'étais en train de lui faire. Il fallait pourtant que j'aille au bout.

– Mais je ne suis pas prête... je traîne trop de casseroles. Je ne peux pas exclure Colin, comme tu viens de le faire avec Megan. Si je commence une histoire avec toi, je te reprocherai un jour ou l'autre de ne pas être lui... d'être toi. Je ne veux pas de ça... Tu n'es pas ma béquille, ni un médicament, tu mérites d'être aimé sans condition, pour toi seul et non pour tes vertus curatives. Et je sais que… je ne t'aime pas comme il faut. En tout cas, pas encore. Il faut d'abord que je me reconstruise, que je sois forte, que j'aille bien, que je n'aie plus besoin d'aide. Après ça, seulement, je pourrai encore aimer. Entièrement. Tu comprends ?

Il lâcha mes mains comme si je le brûlais, sa mâchoire se crispa. Je soufflai, regardai en l'air avant d'asséner le coup de grâce :

– Je vais partir, parce que je ne peux pas vivre près de toi.

Ni loin de toi, pensai-je. Mes larmes coulaient sans discontinuer, nous nous regardions dans les yeux.

– J'ai mon billet d'avion. Dans quelques jours, je quitte Mulranny, je rentre à Paris. Je dois finir de me reconstruire, et je dois le faire toute seule, sans toi.

J'essayai d'attraper sa main, il se recula.

– Pardon, murmurai-je.

Il ferma les yeux, serra ses poings, prit une profonde inspiration. Puis, sans un regard pour moi, il se leva et s'en alla vers l'entrée.

– Attends, le suppliai-je en courant après lui.

Il ouvrit la porte à la volée, la laissa ouverte,

courut vers sa voiture, monta dedans et partit. Je compris à cet instant que je ne le reverrais jamais. Et ça faisait mal, très mal.

La partie la plus facile à jouer, prévenir Félix. Je lui téléphonai.

– Encore toi ! me dit-il en décrochant.

– Ouais… tu es prêt à me supporter à nouveau ?

– Hein ?

– Je rentre.

– Tu quoi ?

– Je reviens à Paris.

– *Yallah !* Je vais organiser une grosse fête. Et puis, tu vas venir t'installer chez moi…

– Stop. Surtout pas de fête. Et je vais habiter le studio au-dessus des Gens.

– Tu es malade, c'est un taudis.

– Il est très bien. Et puis ça permettra d'ouvrir à l'heure.

– Parce que tu comptes bosser ? Ça, c'est la meilleure.

– Et pourtant, c'est vrai. Rendez-vous aux Gens.

– Pas si vite. Je viens te chercher à l'aéroport.

– Pas la peine, je vais me débrouiller toute seule. Je sais faire ça, maintenant.

Trois heures plus tard, le cœur lourd, je me rendis chez Abby et Jack. Judith m'ouvrit.

– Que fais-tu là ? lui dis-je.

Elle me sauta au cou.

– Où est mon frère ? J'ai croisé la salope, hier soir, elle draguait tout ce qu'elle pouvait dans un pub. J'ai sauté dans ma voiture pour vous féliciter.

– C'est bien que tu sois là, je dois vous parler à tous les trois.

– Que se passe-t-il ?

– Allons voir Abby et Jack.

Elle me laissa passer. Abby me prit dans ses bras en me lançant des « ma chérie ». Il avait fallu que Judith l'ouvre. Elle avait dû leur raconter qu'Edward et moi filions le parfait amour. Mes yeux s'embuèrent, je croisai le regard perspicace de Jack, il avait déjà compris. J'allais plomber l'ambiance en moins de deux.

Nous nous assîmes. Abby et Judith s'agitaient dans le canapé. Seul Jack conservait son calme, il m'observait.

– Tu t'en vas, n'est-ce pas ? me demanda-t-il.

– Oui.

– Quoi ? Mais c'est quoi, cette histoire ? cria Judith.

– Ma vie est à Paris.

– Et Edward ?

Je piquai du nez et me ratatinai.

– Je croyais que tu l'aimais. Tu ne vaux pas mieux que l'autre, tu as profité de lui, et tu le laisses tomber !

– Judith, ça suffit, intervint Abby.

– Quand pars-tu ? me demanda Jack.

– Après-demain.

– Si vite ! s'exclama Abby.

– C'est préférable. Il y a autre chose… quand j'ai expliqué à Edward ma décision, il est parti, il n'est pas revenu chez lui, ça fait trois jours. Je ne sais pas où il est… je suis désolée.

– Ce n'est pas ta faute, me dit Jack.

Judith sauta du canapé et prit son téléphone.

– Répondeur ! râla-t-elle. Il va nous refaire son trip bête sauvage. On a déjà subi ça une fois, pas deux ! Fais chier !

Rouge de colère, elle balança son portable et fit comme si je n'existais pas.

– Il est temps que j'y aille, leur annonçai-je.

Je me dirigeai vers la sortie. Ils me suivirent tous les trois. Du coin de l'œil, je vis Jack prendre sa femme par les épaules. La tristesse et l'inquiétude se lisaient sur leurs visages. Sur le seuil de la porte, Abby m'attrapa dans ses bras.

– Donne-nous de tes nouvelles.

– Merci pour tout, lui répondis-je en luttant contre les larmes.

Je lui rendis son étreinte, déposai un baiser sur la joue de Jack et me tournai vers Judith.

– Je t'accompagne à ta voiture, me lança-t-elle sans un regard.

J'ouvris ma portière, lançai mon sac à l'intérieur. Judith ne disait rien.

– Ai-je perdu une amie ? lui demandai-je.

– Tu as décidé d'être conne ! J'ai déjà assez de mon frère à gérer…

– Tu t'occuperas de lui ?

– Fais-moi confiance pour lui botter le cul.

– Je ne sais pas quoi te dire. J'aurais voulu que ça se…

– Je sais, me coupa-t-elle en me regardant droit dans les yeux. Je peux venir te voir à Paris, si l'envie me prend ?

– Quand tu veux.

Je commençai à pleurer et je vis les yeux de Judith se remplir de larmes aussi.

– Sauve-toi, maintenant.

Je la serrai dans mes bras avant de monter en

voiture. Je partis sans lui jeter un regard de plus.

Je fis un grand ménage de printemps pour faire disparaître toute trace de mon passage. Mes valises s'entassèrent d'abord dans l'entrée, puis dans ma voiture. En fermant le coffre, je regardai le cottage voisin, désespérément dénué de toute présence. Mes dernières heures irlandaises se déroulaient dans la plus grande solitude.

Je passai mon ultime nuit assise sur le canapé, à attendre je ne sais quoi. Le soleil était à peine levé quand je mis fin à ce calvaire. J'avalai un café et fumai une cigarette en faisant une dernière fois le tour du propriétaire.

Dehors, il faisait sombre, il pleuvait, et des rafales de vent s'abattaient sur moi. Jusqu'au bout, je subirais le climat irlandais, il me manquerait.

J'eus la nausée en verrouillant la porte. J'y appuyai mon front. Il était temps de partir, je me tournai vers ma voiture, et me figeai. Edward était là, le visage fermé. Je courus et me jetai dans ses bras en pleurant. Il me serra contre lui et caressa mes cheveux. Je respirai son parfum à pleins poumons. Ses lèvres se posèrent sur ma tempe, il les pressa fortement sur ma peau. C'est ce qui me donna le courage de lever les yeux vers lui. Il mit sa grande main sur ma joue, je m'appuyai sur sa paume. Je tentai de lui sourire, ce fut un échec. Mes mains toujours agrippées à lui le lâchèrent. Il ancra ses yeux dans les miens, pour la dernière fois, je le savais, et partit en direction de la plage. Je montai dans ma voiture et démarrai. Les jointures de mes doigts étaient blanches à force de serrer le volant. Un dernier regard dans le rétroviseur, il était là, sous la pluie, face à la mer. Les larmes brouillèrent ma vue, je les essuyai du revers de la main et accélérai.

– 10 –

Je sortis du taxi devant Les Gens. Le chauffeur déposa mes valises sur le trottoir. C'était fermé. Pas de Félix en vue. J'étais à la porte. Je collai mon front à la vitrine. Tout était sombre et semblait poussiéreux. Je m'assis sur un de mes sacs de voyage. J'allumai une cigarette et me mis à observer autour de moi.

Retour à la case départ. Rien n'avait changé ; les citadins pressés, la circulation infernale, l'agitation des commerces. J'avais oublié à quel point les Parisiens faisaient la gueule en permanence. Un stage de chaleur humaine irlandaise devrait être obligatoire au programme scolaire. Je pensais ça, mais je savais pertinemment que, dans moins de deux jours, j'aurais le même visage blafard et peu avenant qu'eux.

Une heure que je poireautais. Félix arrivait au loin. Et je me dis que lui avait beaucoup changé. Il rasait les murs, casquette sur la tête, camouflé derrière le col de sa veste. Quand il fut devant moi, je découvris un énorme pansement en travers de son visage.

– Je ne veux rien entendre, me dit-il.

J'éclatai de rire.

– Je comprends mieux pourquoi c'est fermé.

– Il n'y a que ton retour qui pouvait me sortir de chez moi. Bon sang, tu es vraiment là (il me pinça les joues). C'est dingue, c'est comme si tu n'étais jamais partie !

– Ça me fait tout drôle, tu sais.

La fatigue accumulée commençait à me peser. Je me glissai dans ses bras et me mis à pleurer.

– Ne te mets pas dans cet état pour moi. Ce n'est qu'un nez cassé.

– Idiot.

Il me berça en m'étouffant contre lui. Je ris à travers mes larmes.

– Je n'arrive plus à respirer.

– Tu veux vraiment habiter là-haut ?

– Oui, ce sera parfait.

– Si tu veux te la jouer étudiante sans le sou, c'est ton problème.

Il m'aida en portant une partie de mes valises. Il donna un coup d'épaule pour ouvrir la porte de l'immeuble.

– Oh que ça fait mal.

Je pouffai de rire.

– La ferme !

Il me tendit la clé devant la porte de l'appartement. J'ouvris, entrai et fus surprise de trouver des piles de cartons.

– Qu'est-ce que c'est ?

– Ce que j'ai pu sauver du déménagement de votre appartement. Des vrais piranhas, les vieux. J'ai tout stocké ici en attendant que tu reviennes.

– Merci.

Je n'arrêtais pas de bâiller, et Félix n'arrêtait pas de parler. Pour changer, il avait commandé une pizza que nous avions partagée, assis par terre autour d'une caisse qui faisait office de table basse. Il me raconta dans les détails comment il s'était cassé le nez, une sombre histoire après une soirée arrosée.

– Écoute, l'interrompis-je, on a tout le temps, maintenant, je suis crevée, et on doit être en forme demain.

– Pourquoi ?

– Les Gens, ça te dit quelque chose ?

– Ce n'est pas des blagues, tu veux retravailler ?

Je me contentai de lui jeter un coup d'œil.

– O.K., j'ai compris.

Il se leva. Je le raccompagnai jusqu'à la porte.

– Rendez-vous demain matin pour faire le point, lui dis-je.

Il fouilla dans ses poches et me tendit un trousseau de clés.

– Si je ne me réveille pas, dit-il en m'embrassant.

– Bonne nuit.

Il me regarda bizarrement.

– Quoi ?

– Rien, on en reparlera.

Dix minutes plus tard, j'étais dans mon lit, le sommeil ne venait pas. J'avais oublié les bruits de la ville, les klaxons, les sirènes, les noctambules, la nuit toujours éclairée. Mulranny était bien loin. Edward aussi.

Je passai par le couloir de l'immeuble pour entrer dans l'établissement. La porte grinça. Ça sentait le renfermé. J'appuyai sur l'interrupteur. Plusieurs spots ne fonctionnaient plus. Les Gens n'allaient pas bien. J'avançai dans la pièce. Je puisai au fond de mes souvenirs les impressions qui me traversaient avant. Il n'en restait plus grand-chose. Je longeai les étagères, certaines étaient vides. Sur les autres, je frôlai les livres de la main. J'en attrapai un au hasard, il était corné, jauni, le deuxième et le troisième n'étaient pas en meilleur état. J'allai derrière le comptoir. Je caressai le bois du bar, il était poisseux. Je jetai un coup d'œil à la vaisselle ; les verres et les tasses étaient ébréchés. Une feuille de papier était scotchée sur une des pompes à pression, elle était en panne. Les cahiers de comptes et de commandes étaient en vrac par terre. Il n'y avait que le panneau photo qui était propre et à sa place. Le percolateur me résista de longues minutes avant de cracher un liquide qui avait vaguement la couleur du café. Je m'adossai au mur, je grimaçai en avalant le breuvage. Moralité, ne jamais rien confier à Félix. Pour m'en sortir, pour tenir debout, pour guérir, j'allais réveiller Les Gens.

J'en étais au troisième passage de serpillière quand mon cher associé daigna arriver.

– Tu te recycles en femme de ménage ?

– Oui. Toi aussi, d'ailleurs.

Je lui lançai une paire de gants en caoutchouc à la figure.

Après des heures de ménage, nous étions assis par terre. Des dizaines de sacs-poubelle s'entassaient sur le trottoir. Contrairement à nous, Les Gens sentaient le propre.

– Félix, à partir de maintenant, tu arrêtes de jouer les bibliothécaires.

– Je jouerai à la marchande, alors ?

Je secouai la tête.

– Et tu préviens tous tes potes qu'ils devront payer jusqu'à leur verre d'eau. C'est bien compris ?

– Tu me fais peur quand tu es comme ça.

Il se protégea le visage avec ses bras. Je le tapai, et me mis debout.

– Va faire mumuse, maintenant.

– Demain, qu'est-ce qu'on fait ?

– On passe les commandes.

– Tu as besoin de moi ?

– Grandis un peu. Rassure-toi, grasse mat' au programme.

Félix et moi étions chacun d'un côté du bar, j'épluchai les comptes pendant qu'il préparait les commandes. La nuit était tombée depuis bien longtemps.

– Stop ! J'en ai ras le cul, décréta-t-il.

Il se leva, nous servit deux verres de vin et rangea tous les cahiers avant de s'asseoir sur le bar.

– Madame la commandante en chef ne gueule pas ?

– Non, j'étais sur le point de t'annoncer que nous avions fini pour aujourd'hui.

Il rit, trinqua avec moi et attrapa son paquet de cigarettes sous le comptoir. Je lui fis mon regard le plus noir.

– S'il te plaît, on est fermé, j'ai le droit de cloper. Et tu ne vas pas résister longtemps.

Il me passa la nicotine sous le nez.

– C'est bon, paye ta clope.

J'allumai ma cigarette, avalai une gorgée de vin et le regardai.

– J'ai changé ?

– Même quand Colin et Clara étaient encore là, je ne t'ai jamais vue avec cette patate pour bosser, et puis ce qui est dingue, c'est que tu te débrouilles toute seule.

– Je crois que la reconstruction de ma vie passe par Les Gens. On a de la chance d'avoir cet endroit, non ?

– Tu ne comptes pas devenir un bourreau de travail ? Parce que si c'est le cas, je démissionne.

– Pour ce que tu fais, ça ne serait pas une grande perte.

– Sérieusement, comment vas-tu ?

– Bien.

– Ouais… Tu viens faire la chouille avec moi, ce soir ?

– Je n'ai pas envie.

– Tu ne vas pas rester enfermée dans ton troquet toute ta vie.

– Promis, un jour, je referai la fête avec toi.

– Il faut que tu voies du monde, et puis je ne sais pas… il est peut-être temps… tu pourrais rencontrer un type sympa.

Je savais qu'à un moment ou à un autre, il faudrait que j'en vienne aux aveux.

– Je crois que je l'ai rencontré trop tôt.

Félix soupira.

– Ça fait deux ans que Colin est parti.

– Je sais.

– Tu es désespérante, tu vas finir vieille fille, avec des chats.

Il sauta du comptoir en secouant la tête.

– Je vais pisser.

– Tant mieux pour toi, lui répondis-je en allumant une cigarette.

Cinq, quatre, trois, deux, un…

– Tu as rencontré quelqu'un ? hurla-t-il en sortant des toilettes.

– Ta braguette…

– Réponds-moi ! Qui est-ce ? Où est-il ? Je le connais ?

– Oui.

– Edward ! Tu t'es tapé l'Irlandais. J'en étais sûr. Alors ? Je veux des détails croustillants !

– Il n'y a rien à raconter. Je te résume la situation très simplement, il m'a fait beaucoup de bien, je lui ai fait beaucoup de mal, et je l'ai certainement perdu définitivement, ça s'arrête là.

– Tu es incapable de faire du mal à une mouche, alors à un type comme lui, impossible.

Il vint me prendre dans ses bras et m'étouffa, comme à son habitude.

– Allez… dis-moi ce qui s'est passé.

– S'il te plaît, je préfère ne pas parler de lui.

– Pourquoi ?

– Parce qu'il me manque.

Je me blottis plus étroitement dans ses bras.

– Heureusement que tu ne l'as pas ramené dans tes valises. On aurait été très mal. J'aurais tout le temps eu envie de sauter sur ton mec.

Je pleurai. De rire. Et de tristesse. Félix me berça de longs instants avant que j'arrive à me calmer.

Les Gens étaient prêts. Moi un peu moins. J'avais peu dormi, j'étais anxieuse et excitée à la fois. J'inspectai une dernière fois les lieux. Tout était nickel : la nouvelle vaisselle était rangée à sa place, la pompe à pression fonctionnait à merveille, le percolateur livrait un café digne de ce nom, le bar brillait et les livres, flambant neufs, bien disposés et mis en valeur, attendaient les lecteurs sur les étagères.

Félix et moi avions tenu à dépoussiérer, dans tous les sens du terme, notre catalogue. Je lui avais laissé carte blanche, car il y avait trop longtemps que je ne m'étais plus intéressée à ce qui se passait dans le monde littéraire pour être encore à la page. « Il faut qu'on prenne aussi des choses rock 'n' roll, avait-il affirmé. Nous avons la clientèle pour ça, tu sais. » Je n'en doutais pas, dans la mesure où c'était à lui qu'on devait d'avoir cette partie de la clientèle. Il avait donc commandé, entre autres, des Chuck Palahniuk, des Irvine Welsh et le dernier roman d'un auteur français que je ne connaissais pas, Laurent Bettoni. Le livre s'intitulait *Les Corps terrestres*. « Tu verras, c'est comme si Sade avait écrit *Les Liaisons dangereuses*, mais dans un style très moderne, avait dit Félix. Ça va nous apporter un petit parfum de scandale assez sympa. » J'avais souri. Après deux ans de léthargie, je me sentais d'attaque pour la luxure et le scandale.

Voilà, l'ardoise était tournée. J'ouvris la porte pour entendre la clochette, comme avant, lorsque ça faisait si plaisir à Clara. Derrière mes paupières closes, son sourire m'apparut. Le premier client entra. La journée avait démarré.

Félix arriva vers midi, chargé d'un monumental bouquet de roses et freesias, semblable à celui que Colin m'avait offert des années auparavant. Il me le tendit gauchement et partit déposer sa veste sur le portemanteau. Je trouvai une place pour les fleurs et allai vers lui. Je me mis sur la pointe des pieds et déposai un baiser sur sa joue.

– Il serait fier de toi, me dit-il à l'oreille.

Je passai mon dimanche à aménager mon appartement. Cela faisait quinze jours que j'étais rentrée et je vivais encore au milieu des cartons et des valises. Ce n'était pas bien grand, mais ça me convenait. Je m'y sentais en sécurité et chez moi. J'accrochai aux murs quelques photos de Colin et de Clara pour qu'ils soient présents. Mes vêtements, et uniquement les miens, trouvèrent leur place dans un placard. Je posai sur une étagère les livres qui m'avaient accompagnée en Irlande. Et je réinstallai avec plaisir la splendide cafetière que Colin m'avait offerte. Je devais une fière chandelle à Félix de l'avoir sauvée.

Ne me restait plus qu'un sac de voyage à vider. J'y trouvai les photos d'Edward. Incapable de résister, je m'assis par terre pour les regarder. En nous voyant tous les deux sur le papier glacé, les doutes et les souvenirs m'assaillirent une fois encore. Edward occupait sans cesse mes pensées. Je m'inquiétais pour lui. J'aurais voulu savoir comment il allait, ce qu'il faisait, ce qu'il me dirait s'il savait que je retravaillais. J'aurais voulu savoir s'il pensait à moi. Je rangeai les photos dans une boîte à souvenirs au fin fond d'un placard. Je soupirai, lançai la musique et partis dans la salle de bains. Je laissai couler l'eau sur mon corps en songeant que, le lendemain, je me lèverais pour entamer une nouvelle semaine de travail. J'arriverais à ouvrir les yeux à sept heures et demie, je poserais le pied par terre, je m'habillerais et j'ouvrirais Les Gens. Je trouverais la force de sourire aux clients, de leur parler. Je réussirais, je n'avais pas le choix.

Le soleil filtrait à travers les rideaux de ma chambre, ça allait m'aider à accomplir ma mission du jour. Un mois que j'étais rentrée, je ne voulais plus reculer. Je pris tout mon temps pour me préparer. J'ouvris la fenêtre. Je m'y installai pour prendre mon café et fumer ma première cigarette.

Comme chaque matin, j'entrai aux Gens par la porte de derrière. Mais aujourd'hui je mis une pancarte dans la vitrine pour prévenir de l'ouverture tardive. Le pilote automatique se mit en route.

J'allai chez le fleuriste et en sortis avec une brassée de roses blanches dans les bras. Fébrile, je marchais dans les allées. Pourtant, je connaissais le chemin.

Je soufflai un grand coup en haussant les épaules une fois devant leur tombe. Elle était toujours aussi bien entretenue. Je dégageai quelques pétales fanés sur le marbre et disposai mes fleurs dans un vase. Je restai accroupie à leur hauteur. Du bout des doigts, je caressai leurs noms.

– Hé ! Mes amours… je suis revenue… vous me manquez… C'était bien l'Irlande, mais ça aurait été mieux avec vous deux. Ma Clara, si tu savais… je me suis roulée dans le sable avec un gros chien comme tu n'en as jamais vu, tu aurais pu monter sur son dos et lui faire de gros câlins… Je regrette que tu n'en aies pas eu un comme lui… Maman t'aime…

J'essuyai la larme qui avait roulé sur ma joue.

– Colin… mon amour… je t'aime trop. Quand serai-je prête à te laisser partir ? Je n'en étais pas loin, et puis tu vois… Je crois qu'Edward te plairait… Qu'est-ce que je raconte ? C'est à moi qu'il doit plaire, non ?

Je regardai autour de moi, sans voir. J'essuyai mes larmes. Puis je posai de nouveau mes yeux sur leur tombe et je penchai la tête sur le côté.

– Je vous aime tellement tous les deux… Mais je dois y aller, Félix m'attend.

Je venais d'arriver devant mon café littéraire. Félix n'était pas là, logique. Mais le ciel bleu était toujours au rendez-vous, je souris en fermant les yeux. J'étais simplement capable de profiter de petits bonheurs simples. C'était déjà ça, c'était déjà mieux. Je touchai mon alliance. Un jour, je l'enlèverais. Peut-être pour Edward. J'entendis le téléphone sonner. Il était temps de travailler. Avant d'entrer, je jetai un regard à l'enseigne.

Les gens heureux…

Remerciements

À Laurent Bettoni, auteur, pédagogue et précurseur. Merci d'y avoir cru plus que moi, de me pousser au-delà de mes limites, avec ton regard avisé et sans concession. Grâce à toi, je sais quelle auteur je souhaite être.

Aux lecteurs de la première heure, des premiers clics. Vous êtes à l'origine de l'aventure que vivent *Les Gens...* depuis décembre 2012.

Aux Éditions Michel Lafon, et à Florian Lafani. Merci d'être sortis des sentiers battus, et d'avoir respecté mon parcours et ma liberté.

Composition PCA
44400 – Rezé

Impression réalisée en Espagne

pour le compte des Éditions Michel Lafon

Dépôt légal : juin 2013
ISBN : 978-2-7499-1998-0
LAF 1752